ニッポンの正体

新しい帝国◇戦争の時代

白井聡
聞き手・高瀬毅

河出書房新社
2024

はじめに

ここにお届けするのは、2023年4月に出版した『ニッポンの正体――漂流を続ける日本の未来を考える』の第二弾である。前著に引き続いて、高瀬毅さんと共にYouTubeチャンネル、「デモクラシー・タイムス」にて配信している私の冠番組「白井聡　ニッポンの正体」でお話ししたことに基づいて、本書は編まれた。

この番組が始まったのが2022年3月であり、早くも丸二年の月日が経とうとしている。その間、いよいよ日本の状況は急転変の過程に入ったと私は見る。

まずは、22年7月8日に安倍晋三元首相の殺害事件が発生した。そしていま、この前書きを書いている23年末の時点では、自民党パーティ券裏金問題に対する東京地検特捜部による捜査が進んでおり、事件の行方は不透明ではあるものの、清和会＝安倍派の壊滅は不可避の情勢となっている。自民党のなかで最大勢力を誇り、我が世の春を謳歌してきた安倍派は、頭領を失ってから1年半も経たずして、この苦境に追い込まれている。「諸行無常」とはこのことか。「盛者必衰の理《ことわり》」とは本当のことだと思わされる。

安倍派の壊滅は、一面では永田町と霞ヶ関の権力闘争・権謀術数の帰結にすぎない。だが、安倍元首相の死以降、社会の広範囲を覆ってきた「安倍的なもの」が次々と告発を受け、崩れ落ちつつあることもまた真実であるように思われる。

ここで言う「安倍的なもの」とは、狭義には２０１２年の安倍自民党による政権奪還以降に成立した、世に言う「安倍一強体制」の構成要素を指す。この体制を私は「２０１２年体制」と名づけて分析してきた（『長期腐敗体制』角川新書、２０２２年）。その特徴は、一つには、単なる長期政権であることを超えて「体制」と呼ぶに足るほど権力構造が固定化したことだ。この権力は、ジョン・アクトンの箴言「絶対的権力は絶対的に腐敗する」そのままに、腐敗の塊と化した。かつ、この体制の統治パフォーマンスは低く、日本経済は停滞し続け、社会の閉塞感は強まり続けた。不正・無能・腐敗の三拍子が揃った権力の伽藍《がらん》、それが２０１２年体制だった。

それが「体制」にまで昇格したのは、永田町と霞ヶ関をほぼ完全に支配下に置くことに成功したからだけではない。メディアへの露骨な介入により自発的隷従を引き出して批判の声をマス・メディアの舞台から消し、提灯持ちの似非《えせ》知識人と権威主義的パーソナリティを剥き出しにするタイプの芸能人をオピニオンリーダーの座に据えた。他方で、財界の既得権益を擁護することにより、その支持を固めた。

そして何よりも、「安倍的なもの」が、２０１１年3月11日の東日本大震災ならびに福島第一原発事故以降の日本人の一般的欲望を体現するものであったからだと考えるほかない。一人あたりＧＤＰの国際ランキングが低下を続けていても、貧困に苦しむ子供が増え続けていても、杜撰な安全対策の結果原発が爆発しても、「ニッポン、スゴイ！」と思いたい、思い込みたいという欲望である。ひとことで言えば、現実の否認の欲望である。この大衆的な欲望に十全な捌け口を与えるために、東京には五輪が招致され、大阪には万国博覧会が招致されなければならなかったのだった。かくして、「安倍的なもの」は社会の全域に染み渡り、「不都合な事実」を覆い隠すことに成功した。

しかし、新型コロナ禍における不安定な対策、東京五輪をめぐる数々の醜聞の表面化、そして安倍晋三の殺害事件を通じて明らかになった自民党と統一教会の癒着等々、数え上げればキリがないが、これら否定しようもない暗部の露呈を経て、現在の日本が腐敗して閉塞した衰退途上の国以外の何物でもないという現実に、いつか直面させられずにはいられなかった。

そしてそのとき、この現実の中核には、「長いものには巻かれろ」の精神により、強きに阿《おもね》り弱きを挫《くじ》く惨めな奴隷根性が存在し、そのために社会的不正が放置され、ついには社会全般が閉塞して機能不全に陥りつつある、という事実に直面することを強いられるのである。言い換えれば、この不正・無能・腐敗の体制を成り立たしめてきた基盤は、国民の総体的な倫理的頽廃にほかならないことを認めないわけにはいかない状況がはっきりと姿を現している。

安倍晋三殺害事件以後次々に起きているのは、「安倍的なもの」を支えてきた社会領域における「帝国の崩壊」、しかもこれまでよく知られてきたが誰も手を付けられなかった「構造的な悪」が明るみに出ることによる「崩壊」である。

その筆頭に旧ジャニーズ事務所における性加害問題が挙げられるだろう。かつて文藝春秋社との訴訟においてジャニー喜多川による性加害を事実認定されたにもかかわらず崩れなかった「帝国」が、英BBCの報道と勇気ある告発者の訴えによって瓦解するに至った、という事実が持つ意味は重い。ここにもまた「盛者必衰の理」がある。

さらにいま進行中なのは、近年テレビ画面を占拠してきた観のある吉本興業のリーダー格の芸人を主役とする性暴力スキャンダルである。本件は、常習性や一種の組織性が疑われ、その芸人が吉本興業で占めている地位に鑑みると、深刻な影響をもたらす気配である。ジャニー喜多川のスキャンダルの場合と同様に、結局はテレビスポンサーとなっている企業の判断次第で、事態は大きく動くであろう。

ここで想起せねばならないのは、旧ジャニーズ事務所も吉本興業も、第二次安倍政権以降、権力との距離を縮め、その所属タレントに応援団の役を担わせてきたことだ。吉本興業に至っては、経産省所轄の政府系ファンド「クールジャパン機構」から最大100億円の出資を受け、大阪万博に全面協力するなど、行政権力と深い利害関係を持つに至っている。つまり、芸能界のガリバーたるこの二つの事務所は、自民党やおおさか維新の会への大衆の支持を取りつけるための伝導ベルトの役割を果たすことで利益をあげてきたのだが、その伝達装置が火を噴いて崩れ落ちつつあるわけである。

そして同時に、轟々たる非難を押し切って安倍元首相の国葬を執り行なってまで2012年体制の継承者たることを宣言した岸田文雄の政権は、その支持率を留まるところなく低下させ続け、おおさか維新の会が自らの手柄として誇ってきた万博は、最大の受益者であるはずの建設業界からも見放されて、開催の目途が立たなくなりつつある。「統治の崩壊」――これが私が2012年体制を記述する際に用いてきたキーワードだが、それが事実であることを誰も否定できない段階に入ってきた。もう否認の欲望は持ち堪えられない。

しかも、すでに述べたように、この「崩壊」は「構造的な悪」に淵源する。関係者の誰もが不正であることを知っていたが、常態化していたがために事実上容認されてきた、という点において、パーティ券・裏金問題と旧ジャニーズ事務所の問題は共通している。ゆえに、ここで不可避的に打倒されるべき対象として前景化するのは、悪を生み出し温存する構造にほかならない。急転変の時代が到来しつつあると私が判断する所以はここにある。

無論、特捜検察による国策捜査に「正義の鉄槌」を見出すようなナイーヴさは、あってはならない。検察を含む治安機構は、この構造の一部であるか、ともすればより一層劣悪な構造を成り立たせる可能性すらある。

しかし、この世界に永遠のものなど存在しない。あれほど盤石に見えた2012年体制の権力構造も、「風の前の塵に同じ」であり、崩れるときには崩れる。高瀬さんと私の番組は、今後もこの構造の深層を探求し、暴き出し、葬り去るために力を尽くすことを、読者と視聴者にお約束したい。

白井　聡

ニッポンの正体２０２４◉目次

はじめに ………1

1

凄まじい物価高の原因はどこにあるのか？……13

「失われた30年」を全方向から再考する

各国の経済力や国民の意識などを示す世界比較の様々な指標で、日本の凋落が止まらない。原因は何か。何が背景にあるのか。戦後高度経済成長からの歩みも視野に考える。日本は、どうすれば反転できるのか

2

迫りくる危機と戦争の時代……45

米軍基地の現在から戦争の正体を探る

首都圏に大規模な米軍基地があるのは、先進国では日本だけ。東アジアで紛争が起きれば、米軍基地が標的となる。〝台湾有事〟を言うならば、米軍基地が最大のリスクであることをどこまで意識しているのか

3

NHKは本当に必要なのか？……73

巨大メディアの光と影

日本最大のメディアNHK。政治にも影響を与えるほど報道の影響は大きいが、近年、政権寄りの姿勢と忖度が目立つ。いまNHKの中で何が起きているのか。当事者への取材も交え、驚愕の実態を探った

4

日本社会の生きづらさと資本主義のリアル……101

マルクス再読から現代社会を考える

社会主義陣営の崩壊から30数年。いったんは遠ざけられたかに見えたマルクスの「資本論」がいま、読みなおされている。資本と人間の関係をリアルに分析した「資本論」の要諦を現代的事象の中に読み解く

5

いま、言論界に問われる「覚悟」……135

新右翼・鈴木邦男の思想と哲学

新右翼でありながら、鈴木邦男氏ほど左翼、リベラルに愛された人はいない。政治の左右対立に揺れた時代に青年期に、「三島事件」とも間接的に関わり、最後に行きついた言論人の覚悟とは何だったのか

6

世界の覇権は誰が握るのか？……165

入れ替わる米中と新しい帝国主義の時代

米中対立の陰で、新たな第三極の可能性を秘めたグローバルサウスが台頭している。サウジとイランの劇的な国交正常化、基軸通貨米ドルからの離脱など、翳る米国の力だけに頼らない世界の変化と趨勢とは

7

日本の新しい道を探して……197

2024年を考えるための石橋湛山

ジャーナリストから政界へ転じ、首相となった石橋湛山は戦前から一貫して戦争、拡張主義に反対する「小日本主義」を唱えた。近代日本政治史に異彩を放つ湛山の没後50年。私たちが学ぶべきことはあまりに多い

あとがき ……230

ニッポンの正体 2024

新しい帝国戦争の時代

1

凄まじい物価高の原因はどこにあるのか？

「失われた30年」を
全方向から再考する

凄まじい物価高の原因はどこにあるのか？

高瀬　最初の章では、経済の視点から日本の正体に迫ってみたいと思います。現在の最大の問題は、生活レベルで見ても止まらない物価高です。

２０２２年９月の主な値上げ品目と前年同月比上昇率は、食用油が37・６％、スパゲティ19・２％、食パン14・６％、マヨネーズ14・２％。問題は電気代が21・５％、都市ガスが25・５％。消耗品などであれば、できるだけ安いところに買いに行くという手立てもありますが、生活インフラの値上げは大打撃です。

そんななか、円相場が９月20日に１ドル１５０円を突破して、21日の夜には１５１円台後半に下がった。そこで、政府と日銀が介入して１４６円台まで戻し、９月22日に１４６円台目前で24年ぶりの介入をして１４０円台に持っていった。しかしすぐに戻りました。今回もまたすぐ戻ると見ています。

９月の消費者物価指数も３・０％上昇しています。これが31年ぶりで、円相場も１５０円を突破したのは32年ぶり。つまり、30〜32年くらい前というと、平成が始まったころです。今回のテーマは「失われた30年」ですが、数字上はまさに30年前に戻っているようです。しかし、「30年前と同じだからまた戻せる」といった甘いものではなさそうですね。

白井 購買力という観点からいえば、世界的に物価は上がっています。ですから円ドルレートだけ見れば同じ数字に見えますが、30年前よりもたぶんはるかに悪い。

高瀬 そういう中で、岸田総理大臣が10月15日に、円安の長期化に備え円安メリットを活かす海外展開を考えている中小企業合わせて1万社を支援していくと表明しました。

白井 具体的にはまだ決まっていないようなので、現段階では何をするのかよくわからないですね。普通に考えると、円安になって有利になるような、輸出で大きく利益を上げている企業は自然と儲けが増えるので、儲かっている会社をますます支援するのであれば、おかしい話です。

高瀬 日本の経済の6割は個人消費で回っていて、その人たちには円安メリットがほとんどないわけです。本当は、そこを分厚く手当をしていかなければ、経済活動や生活の質はどんどん落ちていく。

今回の物価高の原因はどこにあるのか、少し分析してみました。1番目がインフレに伴うアメリカの金利上げです。大幅に利上げをし、ドル高になる。新型コロナによる景気後退があって、その脱却のため財政支出をして、それによってインフレになった。今度はこれを止めようと、バイデン政権が必死になって金利を上げている。それに伴って、ドルが買われ円が売られる。つまり円安になる。

普通は日本も金利を上げればいいと考えるのですが、アベノミクスで異次元の金融緩和を続けてきて、日銀は政策変更をする気配はない。となると、ますますドルが高くなって、円を売ってドルを買い、円安がさらに進む。これが二つ目です。
なぜ金利を上げられないのか。日本は今、国と地方の借金の残高が１２００兆円を超えており、金利を上げたらその利払いが大変なので、にっちもさっちもいかないという感じでしょう。
白井　結論的に言えば、打つ手なしです。アメリカが金利を上げ、ヨーロッパの多くの国も上げている。これが、急激な円安の直接の理由です。でも日本は追随できない。アメリカは今、金融引き締めを景気後退も覚悟でやっています。相当きついことをやっているように見えますが、引き締めすぎてアメリカの不況が急激にやってくれば、再び金融緩和に戻るかもしれない。それを期待するくらいしかできないという状況になってきました。
高瀬　アメリカの金融緩和で多少ドルが売られて円が少し戻ることはあるのかもしれませんが、１９９０年以降30年間ずっと停滞してきた日本の実態がベースとしてある。給与が上がらず、ずっと生活が向上してこなかった。今回のことは部分的に突出した形で日本経済の危うさを示しているのではないかと私は思います。今までとは違う状況になったと捉えなければいけませんね。
白井　いわゆる円安メリットの話もいまだに語られていて、岸田政権もそれをベースとして、先ほど話に出た輸出支援などと言っている。けれども、かつて語られた円安メリットはほとんどなくなっている。日本では製造業が空洞化してきているわけですが、いろいろな観測があって、「これだけ円が弱くなってくると、製造業の国内回帰があるのではないか」という期待を語る人もいる。

確かに、そういう面があるのかもしれない。でも、いわゆる労働集約的な産業が労賃の安い国を求めて海外流出していったわけです。戻ってくるとすれば、労働集約型の企業が「日本も賃金が安い」と戻ってくるだけの話で、それでは貧しいことに変わりない。日本は製造業に強みがあるとさんざん言われてきた。確かにそういう面もありますが、エンジニアリングですでにかなり空洞化が起きている現実がある。そして、製造拠点をグローバリゼーションで他国に移してきたわけです。「そろそろ日本で作ってもペイするようになってきたから戻そうか」といって、そんなに簡単に戻せるものだとは私は思いません。

高瀬　日本の技術がどんどん他の国に負けていって、半導体もかつての勢いはなくなっている。トヨタを中心に自動車が少し頑張っていますが、世界を引っ張っていくような技術力はほとんどなくしつつある。「日本はまだ何とかなる」と思っている人はたくさんいると思いますが、「実は〝失われた30年〟になっている」ということです。

いくつか指標を見ていきたいと思います。「ＯＥＣＤ加盟国２０２０年の購買力平価ベースの平均賃金」でも日本は22位と、相当低い。韓国のほうが上（19位）です。名目ＧＤＰでは、２０１０年に日本は中国に抜かれて世界3位になっている。おそらく5～10年くらいでドイツに抜かれ、それからインドにも抜かれるだろうと観測されている。「一人当たりＧＤＰランキ

図1　名目GDPの上位6カ国の推移

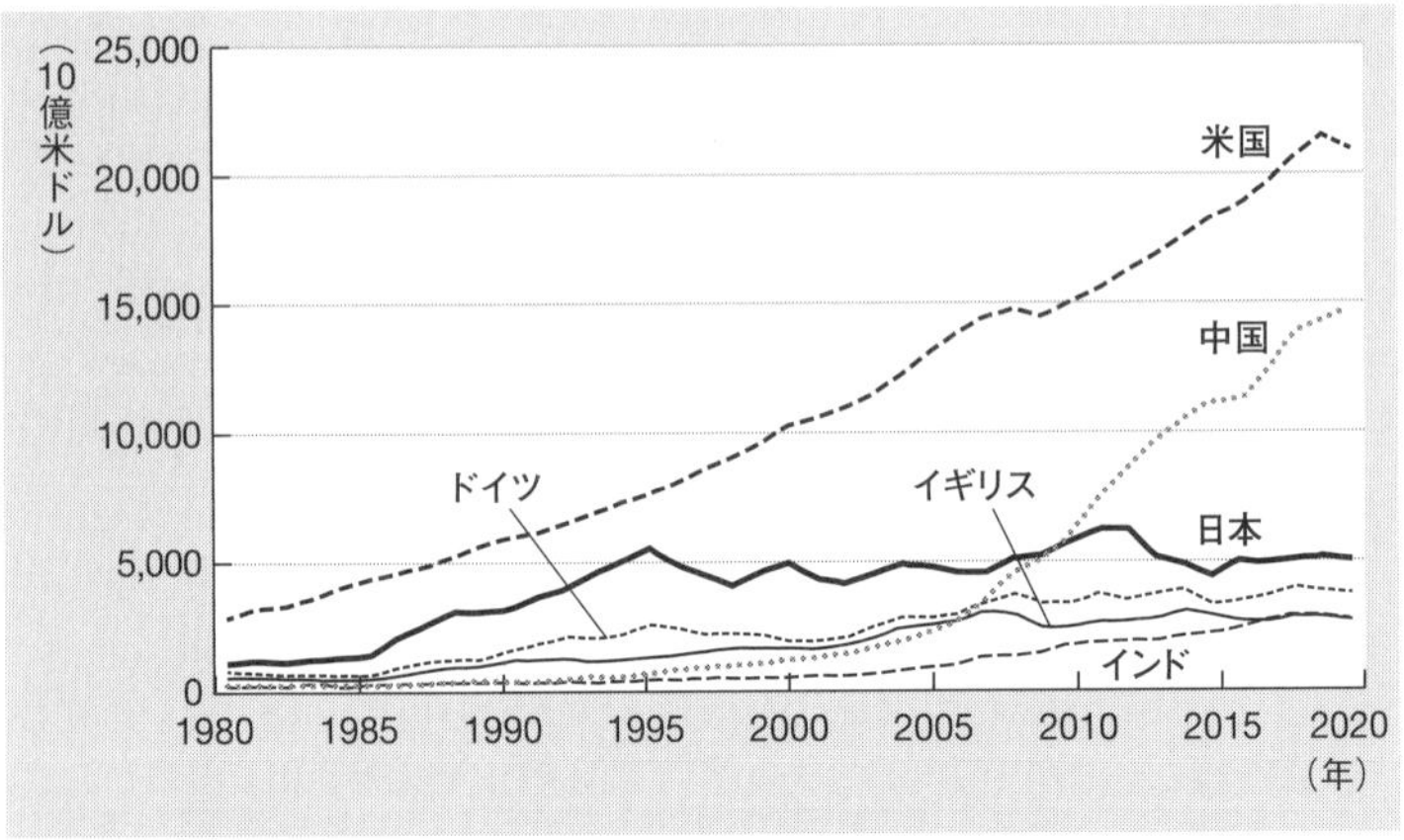

※為替レートは米ドル換算、6カ国は米国、中国、日本、ドイツ、イギリス、インド
出典：IMF World Economic Outlook Databese, April 2021より第一生命経済研究所作成

ング」では韓国が27位、日本は31位と韓国の下にきてしまっている（**図1**）。

白井　名目GDPのランキングは、もうすぐドイツに抜かれるというのは相当まずい。というのは、ドイツは日本より人口が少なく、おそらく日本の3分の2くらいです。「一人当たりGDP」を見てみれば、凋落は明らかです。

高瀬　私の知り合いなど身近なところでも、今年になって「日本はダメなのではないか」という声が急激に増えたと感じています。実際の政治や経済のあり方を見ても、非常に不安です。例えば、新型コロナウイルスの感染対策。

白井　最初期に混乱、失敗した点については寛容な目で見るのも、成熟した国民に求められる姿勢だと思います。けれど、失敗からきちんと学んで改良、改善を重ねていく姿がまったく見えないのは明らかにおかしいです。

高瀬　２０２０年初頭から感染が広がり始めて、春先にはロックダウンといった言葉まで出されて、かなり混乱した。あの頃はまだ初めての事態だったので多少のトラブルは仕方ない面もあったのですが、1年経っても変わらない。むしろ状況は悪くなって、感染者の絶対数が増えました。

白井　冬に感染拡大するのは確実視されている中で、さらに悪いことに２０２２年は国際的な移動が解禁されています。インフルエンザの当たり年になりそうだという観測もあり、インフルエンザと新型コロナの第８波がダブルで来るのではないかと危惧されている。

しかし、厚労省が出してきた方針が、15～64歳で健常者、特に基礎疾患がない人は発熱しても病院で診療は受けられませんというものだった。

高瀬　一方で、岸田さんは経済を動かそうとして、観光推進策を推し進めている。都内を見るとものすごく人が増え始めています。しかし、新型コロナ感染者の数値をよく見ていると、明らかに第8波に向かっている気配が見える。何でこんなちぐはぐなことを依然としてやり続けているのでしょうか。

白井　「何度医療崩壊させれば気がすむんだ」という話で、本当に狂っていると思います。

高瀬　「前回、前々回と医療が大変だったので、今度はこういう体制で臨みます。こういうふうに改善しました」という具体例などがあればいいですが、一切そういうインフォメーションがない。医療界から見ても、政府がいったい何をしようとしているのか全然見えない。相変わらず「ワクチンだけはどんどんやれ」ですから、「罹ったら自己責任」という論理が透けて見えますね。

白井　その無為無策の象徴が、加藤勝信厚労大臣だと思います。新型コロナが始まったときの厚労大臣ですが、私が採点するなら0点です。「37・5度以上の発熱が4日以上」という受診基準を打ち出しておいて、その後、発言を撤回するかのごとく「誤解だ」と彼が言い放ったことを忘れてはなりません。

政治の動きから見る「失われた30年」

高瀬　なぜこうなったのか。いわゆる「失われた30年」を、政治、経済、産業、社会と分けて考えてみました。

政治では、55年体制がこのあたりから終焉していくわけです。国家目標を喪失していき、小選挙区制も導入されて、選挙の結果を左右するようになってしまった。民主党が政権交代しているので自民党が与党から滑り落ちる可能性もゼロではないですが、むしろ投票率はどんどん下がっている。政治を変革しようという力を喪失したのではないか。

白井　平成の初めの時期に55年体制が壊れて政治改革が叫ばれ、「ポスト55年体制」を構築せねばならないと盛んに言われた。その体制とは、政権交代可能な二大政党制だということで、そのために小選挙区制度も導入された。２００９年の民主党の政権獲得、政権交代によって、一応ポスト55年体制ができたと言われたわけです。

ところが、期待にそえず２０１２年に民主党が下野して、自民党が再び政権を握って安倍政権ができ、「安倍一強体制」と言われるまでに権力の構造は固定化してきた。現在に至るも、政権交代が再び起こる現実的な可能性がほとんど見えない。

私は『長期腐敗体制』という本の中で「２０１２年体制」という言葉を使っていますが、事実上のポスト55年体制が、この２０１２年体制です。これは、腐敗・無能・不正の三拍子が揃っているどうしようもないものです。

平成で最大の政治的な出来事は、鳩山政権の挫折だったと思います。公約を果たせずに追い込まれて挫折したことによって政権交代はできないことが証明された。表面上はできるけれど、実質的にはできない。あるいは政権交代は実質的ではない限りにおいて許される。

高瀬　鳩山さんが失墜したのは、沖縄県宜野湾市の米軍普天間基地移転の問題が大きかったですね。「最低でも県外」と言い、「さすがに民主党になっただけのことはあった」と、特に地元・沖縄では評価された。しかし、結局、撤回に追い込まれた。日米安保体制は盤石で、それに手を突っ込んだらダメだというのが証明されていく。これで、民主党でなくともいいじゃないかとなり、消費税も上げないと言っていたのに、上げると言い出した。その後３・11が起きて、原発事故の騒ぎになる。２０１２年11月14日の党首討論で当時の野田首相は突如、次の通常国会で衆議院の定数削減をすることを条件に、衆議院解散を宣言した。そして選挙で大敗し、自公が政権に返り咲き、失望を買った。

白井　しかし、凋落には必然性があったわけです。本質的に自民党と違う政治をやるということ、その本質とは何かを理解している当時の民主党の有力政治家がどれだけいたかというと極めて疑わしい。鳩山さんが挫折した時点で本来の政権交代の志は継承されなかった。民主党が政権を取ったとき、何をなすべきかをつらつら考えていましたが、民主党が本気で改革に取り組んでいけば、とてつもない反発が起きるだろうと思いました。自民党と官僚機構は、お互い文句はありながらもｗｉｎ‐ｗｉｎの関係でつながっている。官僚機構の総合的な利害を代表する政党が自民党なのだから、民主党に対する反転攻勢は強力なものになるだろうと想像していたら、現にその通りになった。

一番まずいのは、すでに当時、ネオリベラリズム（新自由主義。個人の自由、市場原理を重要視し、政府による介入を最低限とする思想）をどうするかが問題になっていたわけです。小泉政権の時代に「改革」が非常にはっきりした形で現れてきて、それに対して「国民の生活が第一」というスローガンを民主党が掲げてきた。社会民主主義対新自由主義で、どちらが正しいかを有権者に問う形で票の取り合いをするのであれば、まだ健全でした。

ところが、そこにもっと大きな問題があった。戦前から引きずっているファシスト的体質と極左の要素が、自民党の中にずっと巣食い続けていたのです。

高瀬　政治が成熟する中でそういうものをいったん否定したと思っていたら、それが引きずり出されてきた。その人たちが、戦後の中心を担っていきます。

白井　ファシスト的体質というのは本当に最悪の部分です。政治の中の最悪の部分であり、国民の中の最悪の部分によって熱く支持されてきた。政権を取った民主党は、相当の手段を使って、この体質を断たなければいけなかった。自民党を解党に追い込む勢いで取り組まなければ、逆にカウンターアタックを食らって完膚なきまでに叩きのめされる。

高瀬　自民党が下野して、お金が集まりにくくなった。あれは一つのチャンスだったのでしょうが、それを活かせなかった。それまで与党経験がなかった政党の幼さですか?

白井　権力とは何かということに関する認識が、徹底的に甘かった。国家権力の核心部にあるのはやはり行政権力だと思います。官僚機構の権力。民主党政権がうまく運営できなくなっていくのは官僚機構のサボタージュがあったからです。

今から20年前、15年前は官僚批判が吹き荒れた。そこで政治主導だということで、民主党が政権を取ることにもなった。でも、民主党がうまくいかないとなったら、それまで徹底的に反抗していた官僚たちはいつの間にか免罪されています。

高瀬　安倍政権以降、内閣人事局を作って官僚をグリップすると見せかけていたものの、官僚は逆にそれをうまく使っていたところもあるのでしょう。

白井　制度的には政治主導が完成したが、安倍さん、岸田さんは徹底的に無能だから、現実には特定の官僚によって主導されている。政治家が目をかけて引き上げた特定の官僚に異常なまでに権力、権限が集中した。その官僚たちがどう機能したかが問題です。対ロ外交や新型コロナ危機対応などの実績から判定する限り、「やってる感」以外のこれといった成果は見られなかったので、どうしても高い点をつけることはできません。

個々の官僚がどう考えているかはわかりませんが、官僚機構は、「全体システムとして、結局こういうのを望んだのでしょう」と私は見ます。民主党は官僚機構に手を突っ込んで改革しようとして嫌われ、また自民党政権に戻された。現在は特定の官僚を優遇し続ける政権に成り下がっているため、霞ヶ関はむちゃくちゃになっているといわれます。若手はどんどん辞めている。

政治家の不始末について、国会で無理やり虚偽答弁させられるといった状態になって、「役人もかわいそうだ、大変だ」と語られもしますが、私は非常にシニカルに見ています。自業自得ではないですか。

高瀬　結局、忖度する人間が出世していく。森友学園に関する決済文書が改ざんされた当時の財務省理財局長、佐川宣寿氏は完全にそうでした。そういう官僚が上に立って官僚機構を支配していく中で、確実に質は悪くなる。それを批判すべきメディアの批判力もだんだん落ちている。諸々が重なっている感じがします。

経済動向から見る「失われた30年」

高瀬　次に経済についてです。1990年頃からバブルが崩壊していく。指標としては、1990年初頭から前年の大納会の株価を大きく割る数字が出てきますが、実感としては92、93年から肌で感じるようになってきます。

このとき大事だったと思うのは、日米構造協議が決着していることです。日本側が1991年から10年間で公共投資を430兆円に拡大。そして大規模小売店舗法の規制緩和、系列取引の排除ということで、いわゆる新自由主義がここから始まっている。非正規雇用も増加し、中国、韓国なども次第に台頭してくる。日本は低成長時代に入り、低金利政策に転換していく。物価は安定するが給料も上がらない。国としては経済を上向かせなければいけないが、予算だけでは間に合わないので赤字国債をどんどん発行する。それは今も続いていて、国債の発行残高は軽く1000兆円を超えてしまった。

白井　冒頭で円安の問題が出口なしと話をしましたが、こうなったのはアベノミクスのツケだと言われているわけです。そもそもなぜアベノミクスがうまくいかなかったかというと、ともかく景気がずっと停滞しっぱなしの状態にある。そこでマネタリーベースを増やして融資しやすい状況を作れば、もっとお金が出回るようになって経済が盛んになるのではないかという仮説に基づいた政策だったわけです。

金融緩和は、別にアベノミクスの発明物ではなく、前からそういう政策は打っている。ただし、異次元と言われたように、それでも景気がよくなってこないのはやり方が中途半端だったからではないか、もっと違う規模でやってみようということで実際にやってみた。けれども2年、3年やってうまくいかなければ、明らかにこの手は通じないとわかるのだから、そのへんでやめておけばいいところ、もう10年以上も続けてしまっている。

もう一度その根本の構造の問題に立ち返ると、お金の供給を増やして金融機関が融資しやすい状況を作っても、お金が動かないのが根源の問題としてあると思うんです。個人消費に関して言えば、「デフレマインドが染み付いているから」「将来不安があるから消費が冷える」という具合に語られますが、個人以外の、企業がどのようにお金を使っているのかという問題がある。

高瀬　今は500兆円を超えて、過去最高の内部留保です。企業はこの間、内部留保の積み上げばかりを繰り返してきた。

白井　「そんなにお金があるなら給料を上げれば？　そうすれば個人消費が伸びる」という話ですがそれはやらない。設備投資はどうかというと、こちらもやらない。なぜかというと、「日本経済はもう成熟しているから」と言われる。私は、それはまったくのウソだと思います。

そうではなく、新規投資をするアイデアがない、あるいはあってもそれを決断できない。そういうような構造があるのではないかと。

高瀬　いくらでも改善できる場所はある、テーマはあるのに、それをやってこなかった。つまり、アイデアが出ない。何かあってもそれが表に出てこない。

産業の動きから見る「失われた30年」

高瀬　ここで産業のテーマにいきたいと思います。ＩＴ化の遅れが典型的に出ているのが産業分野だと思います。製造業の国際競争力が極めて低くなっている。新しい成長産業が生み出せないままということです。

経産省の地位がかなり落ちてしまった。もう日本の経済を引っ張っていくだけの力がないと見られているところもある。一方で「高度経済成長の夢よもう一度」が依然として生きていて、東京オリンピックの開催あるいは万博の開催などの無駄な公共事業に現れている。組合も衰退し、保守化していった。今の連合を見ているとよくわかります。それをチェックすべき既存メディアの経営も弱体化して批判力も落ちている。

製造業は「世界輸出シェアの推移」（『国民の底意地の悪さが、日本経済低迷の元凶』より）というデータを見ると、日本は１９９０年代くらいからずっと落ちています。逆に、中国がすごい勢いで伸びていく。ドイツは比較的変わらない。「米国、フランス、日本各国のＩＴ（情報通信技術）投資の水準」では、日本が今一番下になっています。１９９０年代後半くらいまでは、アメリカ、フランスと投資の水準は変わらなかった。ところが、インターネットが普及する２０００年代に入る頃くらいから投資は逆に減っている。結局、全然新しいアイデアが出なかった、出せなかったということですか。

白井　そういうことです。でも、アイデアそのものは出るものです。人間の能力は実はそんなに変わりはなくて、１００人いたら1人くらいは面白いことを考えつくものだと思います。

私たちはＩＴ機器を日々の生活で使いますが、国産のものはほぼないのではないですか。ソフトウェアの次元を見ていくとさらに悲惨です。結局、インターネットに関連する世界標準ソフトを何ら生み出せなかった。日本が生んだのはＮＴＴドコモのｉモードぐらいです。日本がＩＴ分野で世界のトップクラスにいたのは、たぶんｉモードが誕生した頃の時代だけですね。

高瀬　１９９０年代半ばくらいでしょうか。

白井　そうです。落ちぶれた原因は、ＩＴ産業の構造的な問題があります。ＩＴゼネコンの富士通やＮＥＣあるいはＮＴＴなど、昔からある大きな会社が、現在もさまざまなＩＴ関係の仕事を請け負っています。結局のところ、技術力の高さではなく図体の大きさを活かした独占商売をやっているということでしょうね。

高瀬　経済ジャーナリスト・評論家の加谷珪一さんが独自にいろいろデータを集めているのですが、面白いことを言っていて、『国民の底意地の悪さが、日本経済低迷の現況』という著書で、封建制や、出る杭を打つなど、日本の組織が持っている陰湿さみたいなものがアイデアを出なくしてしまっていて、寛容さがないといいます。加谷さんはエコノミストですが、日本文化や社会全体の中から経済を捉えていて、日本の風土の影響は確かにあるのではないかと思わせます。

90年代半ばまで、まだ何とかなっていたのは、おそらく高度経済成長の余力がまだあったのだと思います。そこから先は、それまでのやり方が通用しなくなって、日本の地金が出てしまったという感じがするんです。

白井　確かに。２０００年を過ぎたころ、今と似たような経済論議が展開され、金融緩和をやっても経済がなかなか活性化しないのが困ったことだという議論がありました。お金を借りやすくしたので、新規事業や設備投資をやってくださいと言っても誰もやらない。

高瀬　30年、同じようなことを言っている。

白井　そうなんですよ。いつからそういうマインドになったのでしょうか。

高瀬　そういう体質はずっと持っていたけれど、前の時代の余力みたいなもので何とかカバーされていた。結局バブル前も後も何も変わっていない、ただ世界情勢が変わってしまっただけだということですか……。

白井　80年代のバブルのときに、あまりにイケイケになって無茶苦茶なことをやりすぎた。あれに懲りて、「冒険的な投資は無理があるだろう」という心理になった。それはその通りですが、その後、いくら何でもマインドが収縮しすぎではないか。

高瀬　「羹《あつもの》に懲りて膾《なます》を吹く」という言葉があります。バブルが崩壊した後に不動産融資の伸び率を、貸し出し全体のそれを下回るように行政指導する、いわゆる総量規制をかけて、「やりすぎだ。もう少しお金を出したほうがいい」と90年代に盛んに言われました。ずっと絞ってリスクを取らない。おそらく、バブル経済時代の反動が今も相当あるのではないでしょうか。

白井　投資すべきことは、本当はたくさんある。自動車の電気化もそうです。日本で進まない理由は単純で、充電できるところがあまりに少ない。私は、ＥＶ車の技術的合理性に関してはやや懐疑的なところがあります。ただし、種類によっては、例えば路線バスの電気化はメリットばかりだと思います。でも、全然進んでいない。このまま行くと、日本の路線バスはすべて中国製になっていく可能性が現実的に出てきていると思います。

高瀬　技術的には問題があるにしても、世界の趨勢としてはＥＶ車に移行しています。このままでは、日本は世界の趨勢に追いつけないかもしれない。ＥＶ車が増えない表向きの理由は、ガソリンスタンドなどにＥＶ車の電源がないからということですが、それは枝葉の部分です。

白井　インフラを増やさないとどうしようもないことだけははっきりしている。日本ではチャデモという規格を作ったが、全然うまくいっていない。出先で急速充電できないとＥＶ車はきついですが、日本の規格だとできない。
　テスラが自分たちでスーパーチャージャーという急速充電のインフラを作っていますが、そのくらいの高度な充電性能がないと電気自動車がインフラとして機能しえないのははっきりしている。でも、日本では国家的なプロジェクトとしてきちんとやっていこうという姿勢は全然見られません。

高瀬　日本では内燃機関の部品製造を担う人たちがたくさんいます。ＥＶ車に急激に移行したら、雇用の崩壊に直面すると考えている。

白井　旧民主党系野党の連合依存の問題で、連合の中には電力労働者の組合があって、原発における電力労働者の雇用を守らなければならないスタンスに立っているからという因果関係で、原発をもっとラジカルに廃止していこうという方針を取れないのとすごく似ています。

高瀬　私は以前、有名な広告デザイナーの方にお話を聞いたことがあって、その方は若い頃ドイツに留学し、何年間かドイツの家庭にホームステイしながら大学に通ったそうです。彼らは家庭での食事のときも、車の何はこうだ、あの椅子はどうだとか、工学的なことをしょっちゅう話しているらしいんです。ものづくり、物に対する執着、関心が高いと驚いて帰ってきたそうです。
　ドイツの中には「ものづくりで食べていく国でなければいけない」という考え方があって、「時代が変わるぞ」となったときにはＥＶ車に思い切って転換しよう。それによって、いったん大変な人も出るかもしれないが国が支える。そして、新しい雇用を生み出そうとする。そういう発想が日本には本当にない。ずっと既存の構造にしがみついている感じがするんです。

白井 ものをきちんと作るということに関して言えば、本来、日本はたぶん世界ナンバーワンだと思います。「もしも実行したら」という話ですが。

高瀬 日本でもできるのでしょうが、産業構造が変わっていくときに、古きを大事にするあまり時代に合わなくなったものを切り捨てきれない。切り捨てられないまま、世界は先に行ってしまって、「さあどうする」となったときに「やめとけ」となる。

白井 難しいですね。日本はかなり特殊なところがあって、非常に古い、1000年続いているような企業があります。代表的なのは奈良の金剛組。もともと神社や寺を建てていた宮大工の集団で、今も継続していて世界最古の会社といわれている。確か、世界最古の会社ランキング上位100社のうち、日本の企業が50社か70社を占めているといいます。よく考えてみたら、三井にしろ住友にしろ、江戸時代からありますね。

高瀬 それはそれでいいと思うんですが、基幹の産業の技術革新が進んでいるかというと、どうも怪しいし、給料が上がるかというと、どうも上がっていない。これから円安や物価高で苦しくなるときに、古い会社を存続させるだけではまずいなという感じを受けます。

自己肯定感が低く、自信がないのが今の日本人の傾向

高瀬　そういう中で、貧富の格差が拡大していくわけです。「仕事のチャンス成功の自信ランキング」というデータに「他人に迷惑をかけなければ、何をしようと個人の自由だと考える人の割合」という項目があって、フランスがものすごく高く65・4％（図2）。日本は10％くらいと、かなり低い。白井さんは学生さんを教えていて、どう感じますか？

白井　すごく納得します。いわゆる自己肯定感の低さ、自信のなさが特に若年層で問題だといわれていますが、日本社会における根本的な傾向が今の若年層に非常に濃縮された形で現れているのだと思います。とにかく自信がないし、自分というものがない。

そこで教育がよくやり玉に上げられます。「もっと教育をどうにかしないといけない」という話になりますが、今日の学習指導要領やカリキュラム構成は高瀬さんの子ども時代、私の子ども時代とはかなり変わっている。どう変わったかというと、基本的に個を尊重して自主性を伸ばしていこうという理念が公式に採用され、一応それを実現するカリキュラムになっているはずなんです。ところが現実には、むしろまったく逆の人間になっている。

高瀬　昔のほうが、結構のびのびやっていたところがありますね。教育の問題というより、社会が全体的に変質していったものがあるんじゃないでしょうか。批判がしにくいとか、突出し

図2　「他人に迷惑をかけなければ、何をしようと個人の自由だ」と考える人の割合

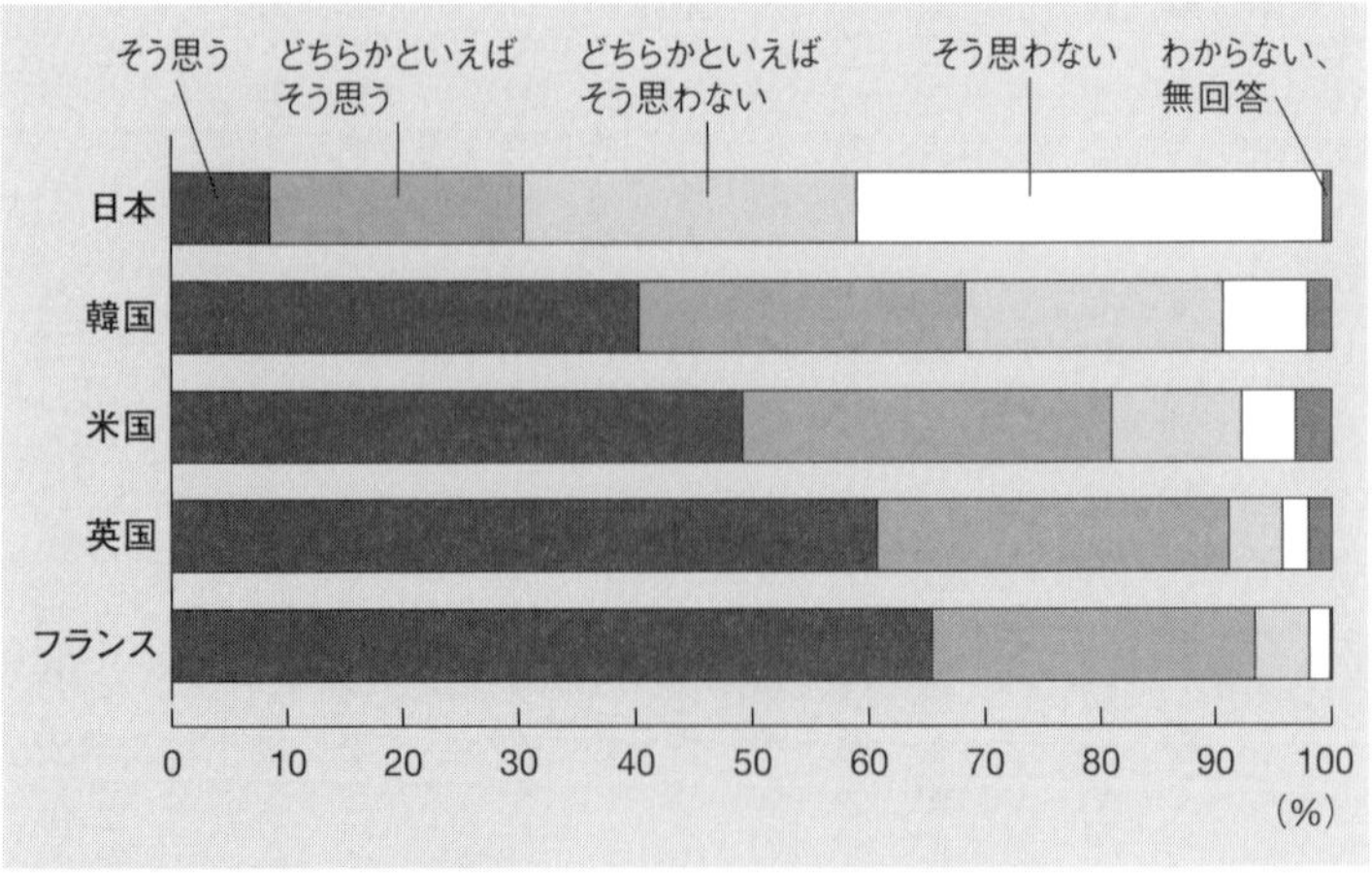

出典：内閣府「第8回世界青年意識調査」

た者は叩かれるとか。

白井　若者は批判という行為自体が悪いことだと思っています。そこまで批判を恐れるのは、批判の矛先が自分に向いたらどうしようと想像しただけ背筋が震え上がり、世の中が真っ暗になるような恐怖を感じるのかもしれません。私から見ると、自我が脆弱になっているような気がします。

高瀬　それが、自殺死亡率の比較に出てきているような気がします。各国の自殺死亡率を比べると、日本が先進国の中では一番多い。

白井　若年者の死亡原因1位は事故ですが、日本は自殺が1位で、しかも事故の3倍近くの数字です。これは本当にまずいですね。

高瀬　日本全体が非常に息苦しい。若者に未来がない。経済がよければ、まだ未来はあるのでしょうが、それも見えない。孤立してい

る。連帯感はなくなった。本当に気の毒にも思えてくるわけです。年配から見ると、「しっかりしてよ」と思うところもあります。でも彼らを取り囲む環境、この国の体質をきちんと見ていかないと、彼らだけを責めても始まらない。

白井　教育現場では、すごく脆弱になった自我をさらに優しく扱って何とか壊れないように守る傾向にありますが、はっきり言って逆効果しかない。ますます弱くなっていく。日本人は、表面上は優しくなっている。言葉遣いは昔に比べて丁寧になったし、決して人を傷つけないような配慮だけはやたらに高度化している。しかし、ちょっとでも他人との距離感を誤ると袋叩きにされるほど激しく傷つけ合う。

高瀬　ウソがなく付き合うことができなくなってきている。怒られたときに言葉は悪いかもしれないが「この人は、私のことをちゃんと考えてくれている」という対面での納得感、素の人間に触れる機会が減っているのが問題なのではないでしょうか。今の人は、言葉だけは慇懃無礼ですが、何を考えているかまったくわからない。そこにまた、ポリティカルコレクトや人権問題などの要素が入ってくる。それはそれでさらに触れ合いを遠ざけてしまう……。

白井　ある意味、ハラスメント概念の乱用という事態だって考えられますよね。

高瀬　世界的にそういう傾向がある中で、難しい時代になったなという感じがします。

高度経済成長の時代と今を関連させて考える

高瀬　高度経済成長というのはもう終わった時代の話ですが、この時代と今を関連させて考えてみる必要があります。いまだに尾を引いているような感じもするし、ノスタルジーだけではなく、影響がいまだにありそうな気がします。

高度経済成長時代がいつからかというと、1955年から第一次オイルショックがあった73年までです。当時、日本人の力だけで高度経済成長ができたのかというとそうではないんですね。一つ挙げられるのは、朝鮮戦争特需。もう一つは、中国の停滞があったのではないかということです。

白井　この時代には混乱に混乱を重ねながら、その結果、中国独自の国家資本主義のような体制を形成することになった。だからこそ、今の中国はある意味かなり強力なわけです。もし、1950年代、60年代の段階で、外資を導入して、と他国と同じようにやっていたら、たぶん第二次世界大戦前の状態に逆戻りしてしまう。

高瀬　欧米の草刈り場になってしまうでしょうね。いずれにしても、日本は恵まれていたというか、ラッキーな部分があったんでしょう。とにかく、一心不乱にひたすら経済成長に邁進していく。これは吉田茂が敷いた、いわゆる軽武装、経済重視の政策もあったのでしょう。

保阪正康さんが、『近現代史からの警告』（講談社現代新書）という本で、日本の戦後の高度経済成長を作っていった大きな要素として「短現」の存在があると書いています。短現というのは、海軍がやった短期現役士官制度。この生き残りが、どうも戦後を引っ張った。

短現はどういう人たちかというと、大学の経済学部、法学部、商学部を出たエリートをごっそり引き抜いて主計将校にしている。面接試験のときに、東條英機の悪口を言う学生もいたらしい。ところが面接官は笑っていた。陸軍と海軍は仲が悪いから、観念のお化けみたいになっている東条英機を海軍がいいとは思っていないわけです。主計将校たちは戦争を否定する傾向があった。

戦後はこの人たちが「もう、あんな戦争は二度とやってはいけない。あの戦争は自分たちにとって屈辱だった。これを経済で晴らしてやるぞ」と、日本の政界、財界、金融界、いろいろなところで枢要な地位に就いた。護送船団方式を作ったのが、実はこの人たちだったんです。

各業界をある程度保護しながら一社も漏らさない体制で進めていく。これが護送船団方式で、日本型資本主義の典型といわれました。護送船団は空母も戦艦も巡洋艦も駆逐艦もいる。場合によっては輸送船もいる。その中で、一番遅い船に合わせて進み、絶対に一隻も見捨てない方式というのが海軍の手法らしい。

90年代初頭、日米構造協議で全部が新自由主義に移行します。ここで護送船団方式が終わる。ということは、戦後があそこで終わったんだなというのが、逆にわかってくるんです。

白井　たぶんそのやり方は、キャッチアップ型産業の発展には非常によく機能したと思います。だから「ジャパンアズナンバーワン」にまでなった。

しかし、インターネットの時代になって以降、丸ごと「失われた時代」になってしまった。ＩＴゼネコンは、公的機関からの受注を独占的にもらえているので、彼らはとりあえず食べていけるわけです。その構造に依存して、自分たちでイノベーションを起こすことはなかった。それが、成長なく衰退している現状です。

高瀬　そうですね。一方で、雇用に関しては新自由主義でバカバカ人材を切っている。日本という国は、国家目標も路線も見失っているような感じがします。

白井　今後のことも安易にその場しのぎで決めています。賃金をカットすれば会社経営は楽というだけで、最も手軽な方法で利益を増やそうとしてきた、あるいは確保してきた。それだけ内部留保をため込んだ。

経営者あるいは資本家が社会的義務をまったく果たしていないのがこの20年、30年です。ある時期までは日本経済がうまく発展した理由の一つとして、公職追放によってある年代層の人たちがごっそり抜け、風通しが良くなったからだという説も有力な説として語られてきましたが、今の政治の世界などを見ると、「それはあるかも」と思います。

高瀬　そうですね。幕末から明治になったときに上が全部吹っ飛んで三十代の若い世代が国の中枢を担うようになっていった。戦後もそうでした。そういう人たちがのし上がっていって、政治に関わることができた。どこかで新陳代謝が必要なんでしょうね。

白井　なぜ投資がされないのか、なぜ冒険ができなくなっているのかといったときに、先ほど東条英機を軍人の前で批判して問題にならなかったという話でしたが、昔のリーダーというのは器があったということです。

高瀬　懐が深いというか、ある時代まで、60年代の学生運動を経験した人たちが、卒業後会社に入って重役になっていったりするのですが、どこかで自分の若かりし頃の理想の残滓のようなものを持っているんです。だから、「会社だから仕方がない」といいつつ、どこか若者の情熱を受け止めてくれていた。上役との対話の中で「この人は何か持っている」と感じられることがありました。最近、そういう人がいなくなっているのではないかと感じます。

白井　そうですよね。情熱はときには野蛮なものをはらんでいたり、粗野だったりしますが、そこにこそエネルギーがある。何というか、民族的活力がひどく落ちてきている気がします。有名な国鉄総裁の石田禮助の言葉「粗にして野だが卑ではない」がありますが、確かに粗でも野でもなく、そういう意味では洗練されているし優しげに見える。けれど今はなんとなく卑しいよねという感じになっていて、それが国力の停滞の根源的な理由ではないかという気がします。

高瀬　ぶつかりあっていくことは大事なんですね。池田勇人が所得倍増計画を打ち出したのが1960年でした。池田が総理大臣になる前、岸信介元首相への抗議で国会前に集まったものすごい大群衆を見て、「このエネルギーを経済成長に向ければ、絶対に成長する」と言い、まさにその通りにやったわけです。

ただ、所得倍増計画は、現在の検証では実はあまり大したことをやっていないらしい。59年、60年と見ると、経済成長率が10％を超えている。あの時代、黙って放っておけば成長していくんですよ。そこで看板をボーンと出して、何かやっているように見せたというわけです。民間活力を後押ししてあげれば自然と上がっていく。

白井　だから逆に、政府や日銀が金融緩和をやったってダメなときはダメだということですね。

高瀬　民衆が動きやすいように、あまり細かいことを言わずに多少の失敗があっても許すくらいの国づくり、制度づくりをしたほうがいいのではないか。そうすれば、社会の中に寛容さも出てくるし、若い人の力ももっと出てくるのではないかと思いますが、政治がごちゃごちゃ介入してくるのがよくないかもしれません。

白井　社会の空気として、人を縮こませるような空気がずっと流れていて、それが強化され続けている状態ですよね。それがどういう形で爆発するのかというところをよく見なければならない。それは例えば自傷行為だったり、あるいはいわゆる動機なき犯罪というか無軌道な暴力の激発という形でしか今のところまだ現れていない。

高瀬　そうですね。かなり重要な時期にきているなと思います。おそらく世界の状況はもっと悪くなる可能性があるし、経済も落ち込んでいくかもしれない。もちろん日本自体も厳しい。

だから、我々が戦後に歩んできた経験はあまり参考にならないのではないかという心配はあります。さらに、人間には欲望がある。欲望の向け方次第で経済発展も可能だと思いますが、日本社会も日本人そのものも、欲望の正しい発露の仕方を見失っているのではないかという気がするんです。

白井　学生と接していて戸惑うことの一つとして、例えばごく近い過去を振り返って、「平成時代ってどんな時代だったと思いますか」と、資料、参考文献なしで作文を書かせることがあります。

するとほとんどの学生が「そんなに悪い時代ではなかったと思う。世の中はどんどん便利になってきたし、スマホは便利だし、ＹｏｕＴｕｂｅもある。だからいい時代だったんじゃないかと思います」という内容で、ちょっと唖然とするんです。

私の子ども時代はスマホもＹｏｕＴｕｂｅもなかったけれど、たぶんずっと幸せだったと思うよという話で、「あなたにとって、本当にそれが幸せなんですか？」ということをきちんと自問自答させるべきなのではないかと危機感を抱きます。

高瀬　一人の人間の中にあるエネルギーはやはり今も昔もあって、何か意味のある人生を送りたいと思っている。でも、それがちゃんとできるのか、できているのか、内面を振り向かせるような余裕も与えないまま、こういうものが買えますよ、こういう楽しみもありますよと、情報過多でどんどん上滑っていっているような気がしています。

図3　世界幸福度ランキング

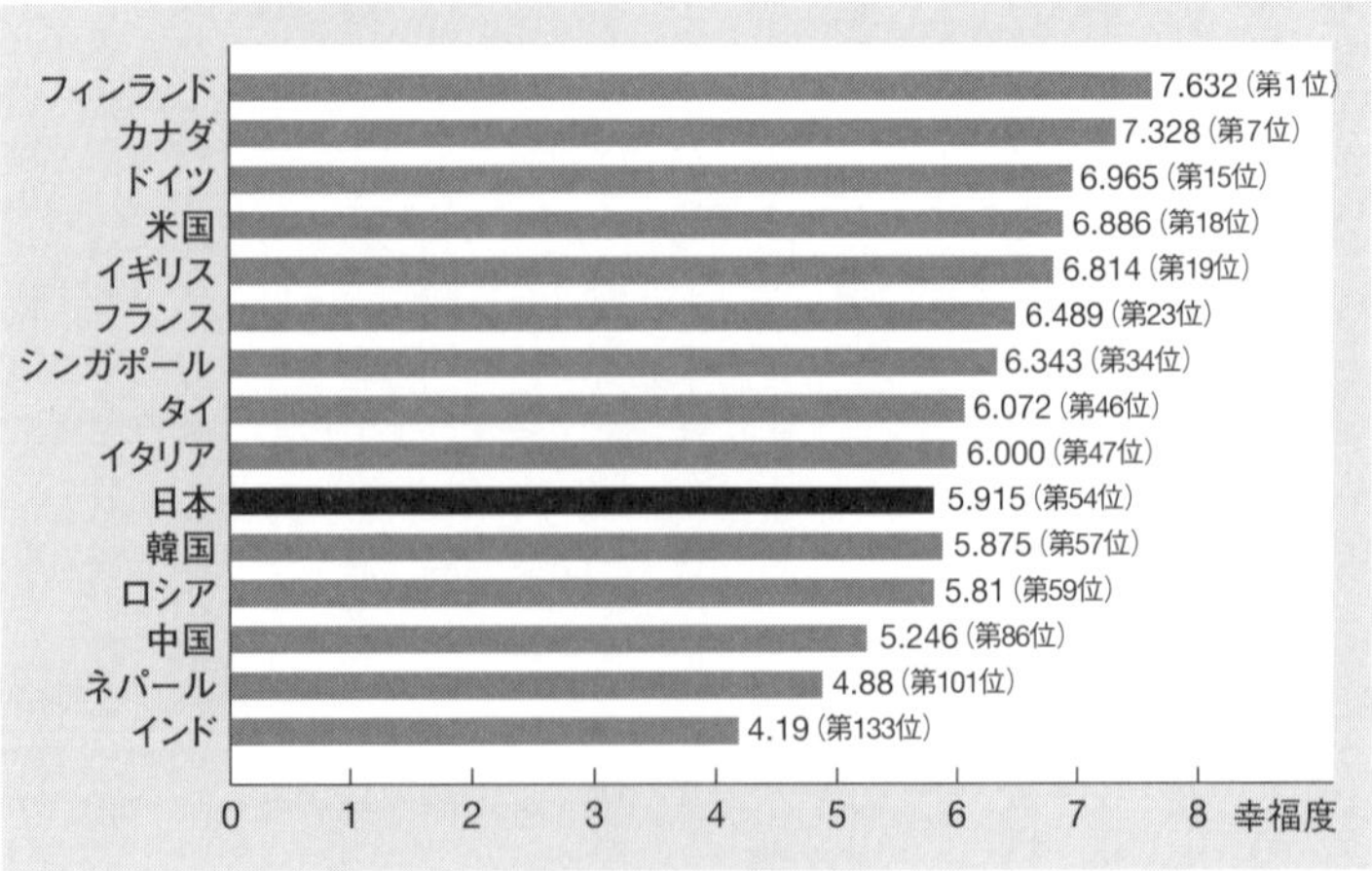

出典：World Happiness Report_Ranking of Happiness:2016-18

白井　「あなたにとって、幸福とは何か？」というのは実はものすごく重い問いです。正面切って尋ねられると、なかなか答えられない。つまらないことを言ってしまうと、つまらない人間だと思われます。

高瀬　世界幸福度ランキングというデータがあって、日本はこの2年間、2ランクくらいずつ上げてきていますが、それでも54位です（**図3**）。幸福度とは結局、主観的、恣意的ではないかといわれますが、それぞれ条件は違うけれどもその違った条件下にあって、今の生き方がいいと思えるかというのは、自己評価できるかどうかを表しています。実は幸福とは、主観的であると同時に客観的なものでもあります。あなたの主観にとって幸福とは、という話をしているけれど、なぜかそう簡単に答えられない

白井　幸福度アンケートのようなものは難しいですね。私の感触だと、先ほどの「平成時代をどう見ますか」ということを書かせると、幸福度自体はそんなに低くない。むしろ、いい時代だったと思っている若者の方が多い。だから、「あなた方は幸せだと思っているようだね。でも、そんなものが幸せなんですか」と言いたくなる。

高瀬　「それは白井さんの世界観で、若者は違うよ」と言われるんじゃないですか（笑）。

白井　もちろんそうなってしまいますけど、「日本は圧倒的に衰退していますね。出口なしですよ」と言わざるを得ない。それでも幸せなのですか、と。

高瀬　幸福度は確かに主観ですからそれぞれ違うものですが、私たちと学生たちの世界観がかなり違うということもあるのでしょう。

白井　残念なのは、日本という国に暮らしながら、その環境を考えていないだろうと思ってしまうわけです。考えていないというのは、現状、そこそこ物質的に満たされているから幸福と思うんですね。それはそれでいいけれど、その幸福、物質的幸福は今の日本の経済状態、社会的構造、経済構造、人口動態などを勘案したうえでのことですか、と問いたい。あなたは、その幸せを今後数十年間、このまま享受できると思っているのですか、と。

それなりに消費ができて、それなりの生活ができて楽しいこともあるし、という感じなんでしょう。ここに若い人を入れて話をしたくなりますね。来年になると、状況がだいぶ変わるでしょうからね。

この話の肝は、若者だけではなくて、日本人全体の話だと思うんです。もう少し幸福を深く考えていたら、自民党に票は入れないだろうと思います。

高瀬　もう少し先を見ていかなければダメですよね。今までは確かに現状維持で来られたかもしれないけれど、どうもこれからはそうはいかないのではないかというギリギリの崖っぷちに来ているような雰囲気があります。

白井　幸福とは何だろうと真面目に考えるようになれば、欲望もきちんと機能してくると思うんですよね。

高瀬　国もあるいは個々人も、かつてのように目標を持てなくなっている。考えなくなったのかもしれませんし、惰性でいけるという状況があるような気もします。

迫りくる危機と戦争の時代

米軍基地の現在から
戦争の正体を探る

2

米軍基地は、戦後日本を考えるうえで絶対に欠かせない要素

高瀬　この章では、米軍基地と日本社会の関係について考えたいと思います。基地は沖縄にだけあるわけではありません。東京や首都圏にもいくつもの基地があり、もし他国と戦争になったら、横田をはじめ首都圏の基地が狙われることになるわけです。その意味で、東京の人間こそ、もっと基地について考えなければいけないと思うんです。

米軍基地を取り上げようと思ったのは個人的な動機もあって、２０２２年10月に私が住んでいるマンションのポストに1枚のチラシが入っていました。ＰＦＡＳという有機窒素化合物による汚染が進んでいて、私が住んでいる地域の水道水にも及んでいると書かれている。それで、ＰＦＡＳの血中濃度を測るための血液検査をしませんかということでした。11月13日の東京新聞にも大きく出ていて、実はＰＦＡＳの汚染源が東京の北西部にある米軍の横田基地ではないかと見られているわけです。

なぜ基地かというと、火災などで使う泡消火剤にＰＦＡＳが含まれているということなんですね。消火訓練の中で使ったものが地中に染み込んでいって、地下水となって流れていくんだろうという見立てになっている。これが東京の多摩地区の水を汚染しているのではないかというのが専門家の分析です。

実は横田基地の周囲は比較的汚染度が低いんですが、少し離れた小金井市、国分寺市、府中市の辺りは汚染の度合いが高い。そのPFASをきっかけに1つの問題として、米軍基地全体の問題、特に横田基地を中心に考えていきたいと思います。

白井　PFASの件ですが、きっかけはどういう形で発覚したんですか?

高瀬　沖縄の米軍基地問題を調べている英国人ジャーナリストが独自に調べたら、沖縄の基地周辺が相当に汚染されていた。東京でも、独自に情報公開法を使いながら都のデータを見ていったら、やはり汚染があることがわかってきた。都ではずっと水質汚染を調べていたので、汚染のデータがあったんですね。市民が「米軍基地ではないかという疑いがあるので、立ち入り調査したい」と言っていますが、日米地位協定が壁になっていてなかなか難しく、自分たちで血液検査をやろうという流れになっているわけです。

白井　基地による迷惑、被害の最たるものは航空機の墜落事故だと思われがちですが、実は環境汚染問題もすごく重要です。沖縄密約問題の西山事件も、環境汚染を回復するためのコストを表向きアメリカが払うとされていたが、実は日本側が支払うことになっていたという密約があったと探り当てたところに端を発していますからね。

高瀬　アンタッチャブルな世界があって、なかなか実態がわかりにくいですが、非常に怪しいという感じはしている。その米軍基地が、戦後日本を考えるうえで絶対に欠かせない要素であろうということで取り上げました。首都圏には横田の他に、座間、厚木、横須賀とあります。

図4　横田基地の場所

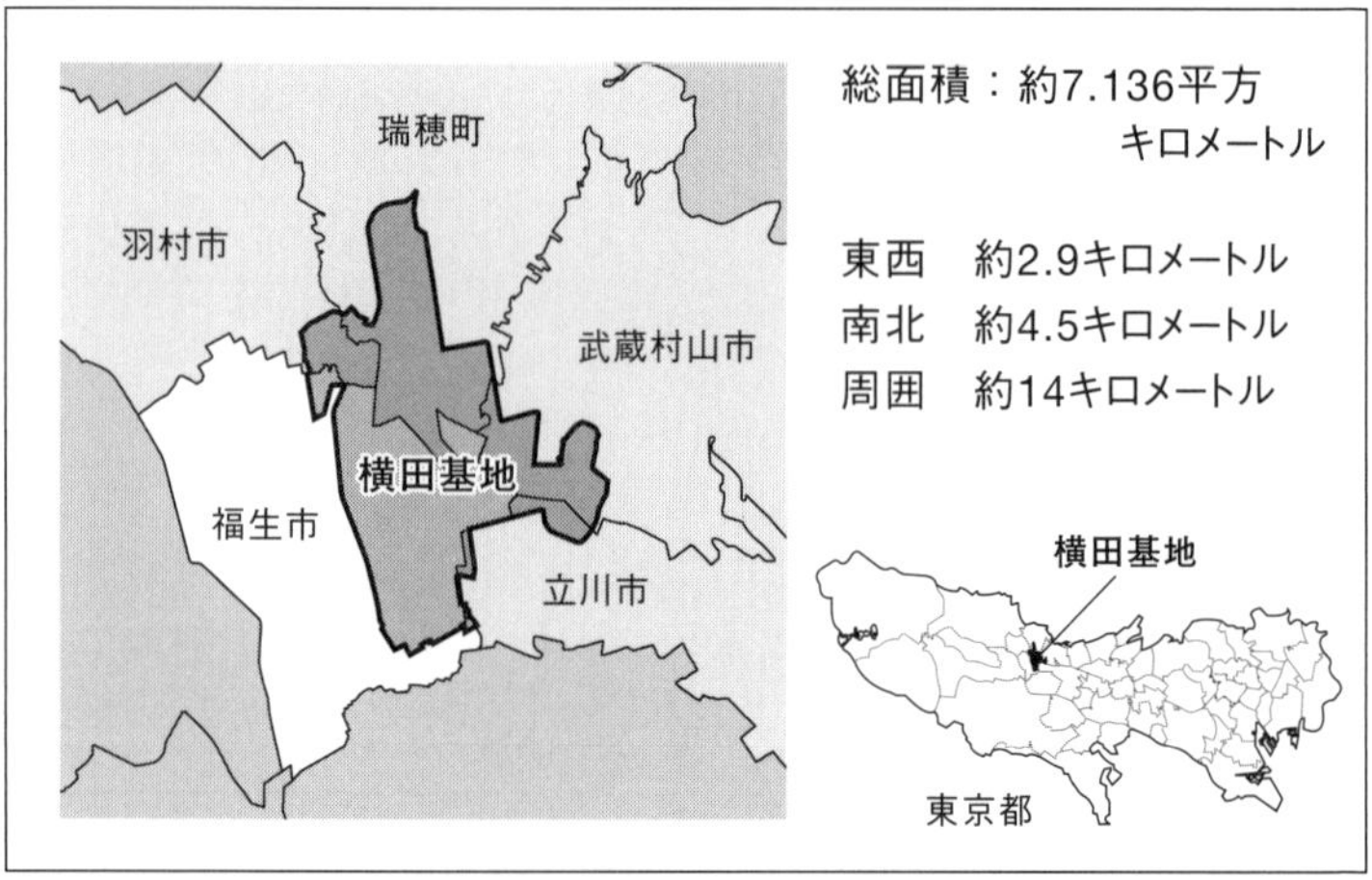

（左図）東京都福生市ホームページより抜粋

これらの街は国道16号線沿いです。

白井　私は相模原に長く住んでいました。相模原で一番有名な施設が補給廠《しょう》（第38防空砲兵旅団司令部）で、近くにキャンプ座間があります。私が住んでいたのは補給廠からは少し遠い場所でしたが、すぐ近くに米軍住宅がありました。キャンプ座間や補給廠に勤めている軍人が、家族と一緒に住むための施設だと思います。米軍のプレゼンスは平均的な日本人と比べて相当身近に感じていたことになろうかと思います。

高瀬　ベトナム戦争で故障、破壊された戦車を相模原補給廠で修理しベトナムに輸送する兵站《へいたん》活動が頻繁に行われた。だから、日本人がベトナム戦争に直接行って戦争しているわけではないですが、間接的にものすごく関わっている。

白井　平和な日本に暮らしているけれど、私の子ども時代には、実は軍事的な気配があって、それが何となく不気味なものとして存在しているという感覚がありました。

高瀬　今回のＰＦＡＳに関しても、厚木でも出てきていることからメディアも動き始めていて、この問題は大きくなってくる気がします。

こういうことが基地の周辺で起きている。沖縄だけの問題ではないということです。首都圏にある横田基地に焦点を絞りたいと思います。まず、基地がどこにあるかというと、福生市、羽村市、瑞穂町、武蔵村山市、立川市にまたがる広大なエリアです（図４）。年々拡大していって、今ここまで大きくなっているということです。横田基地周辺には学校もあって、危険といわれる沖縄県宜野湾市の普天間基地と同様、横田も非常に危ないわけです。

白井　私も横田基地の中ではなく、外側の見学というか観察、フィールドワークに行ったことがありますが、完全に市街地ですからね。

重要な役割を果たすとして強化されている横田基地

高瀬　横田基地は、もともと旧日本陸軍の立川飛行場の付属施設だった多摩飛行場を、米軍が戦後に接収した場所です。砂川闘争（立川基地の拡張に反対した住民運動）後、横田基地に集約され、拡大していった。一時期、横田基地はベトナム戦争が終わった後、撤収していいのではないかと言われました。実は今、この基地が重要な役割を果たすということで強化されつつあります。

現在は第5空軍司令部、在日米軍司令部、国連軍の後方司令部が横田にある。航空自衛隊・航空総司令部もここに入っている。日米一体化がどんどん進んでいるようです。

白井　米軍は常に再編を行っているので、個々の基地の重要性は変化を繰り返してきたと思うんですが、かつて石原慎太郎が東京都知事選のときに、「横田基地を返還させる、あるいは軍民共用にする」と訴えていましたが、都知事になった後は何もアクションがなかった。

高瀬　なかったですね。横田基地では今、パラシュートでの降下訓練など、実践的訓練が行われている。それから、輸送機オスプレイCV22が来た。基地問題を研究している人に言わせると、横田基地が最も重大な変化を遂げた証はこれだということです。アメリカ空軍の特殊作戦部隊の出撃地になり、その象徴がオスプレイの導入ということです。

オスプレイはいろいろなところを飛んでいて、「またオスプレイの話をしているな」と思いがちですが、実は横田はこれに象徴されるように大きく変わってきたということです。

白井　こんな市街地にある基地でやるような訓練ではないですよね。

高瀬　オスプレイにはMVとCVという機種があって、CVには超低空飛行用の特別な装置がつけてある。だから、何かあったときには、大変な事故が起きるということだと思います。横田基地は、騒音も含めて訴訟がずっと続いてきていて、2021年に第9次訴訟が最高裁で棄却されています。今回、通算で10回目の訴訟が起こされました。

横田基地は、もともとはこういう場所ではなかった。戦後は立川市砂川に米軍基地があった。立川飛行場の付属施設として横田が作られていて、むしろ立川基地のほうが問題だった。朝鮮戦争が終わったころから基地の拡張が始まったが、砂川闘争によって、基地拡張、滑走路延長が中止となり、代わりに横田に集約させたことが横田基地拡大の大きな要因になりました。

学生のときから砂川闘争に関わり、今もずっと基地問題を見続けている元立川市議会議員の島田清作さんに話を伺いました。

高瀬　米軍基地はもともと砂川でしたが、横田に集約された今、非常に重要な役割を担っています。これをどのようにお考えですか？

島田　今おっしゃったように、安保条約と地位協定に基づいて日本に２００カ所近い米軍基地があるんですが、その総司令部が横田基地にあるわけです。そこに合わせて、府中基地にあった航空自衛隊の航空総隊司令部を数年前に横田基地に持ってきた。航空総隊司令部とは何かというと、航空自衛隊の中の戦闘機部隊とミサイル基地を指揮する部隊です。いざ戦闘という有事の際に、陸海空の自衛隊を総括的に指揮するのが航空総隊司令部らしいです。

在日米軍の総司令部と自衛隊の総隊司令部が横田基地の中に作られ、建物は地下でつながっており、地下に大きな共同の会議室があります。そこに日米共同統合運用調整所が作られたんです。日米共同というのは、まさに日本とアメリカが共同することで、アメリカは陸・海・空・海兵隊の四つの軍隊を統合し、日本は自衛隊の陸・海・空を統合する。その司令所が横田基地にあるということです。日米の軍事同盟を表す施設で、アメリカの指揮のもとに自衛隊も動く司令塔が横田にできたということです。

高瀬　これが地下にあるんですね。別に地上に出しても構わないじゃないですか。地下ということは、ひょっとしたら核戦争を考えているのではないかと、島田さんはおっしゃっていました。

白井　そうした司令所の存在そのものが、指揮権密約の物理的証拠です。できたのが2012年というと、集団的自衛権の行使が容認される前ですね。憲法解釈の変更、それに基づく法制化をやる前に、すでに実務レベルで米日軍事力の統合を進めているということです。先に施設や体制を作ってから国会で審議するわけですから、事実上は法的に追認しているだけと言えます。

横田基地が日本への玄関口になりつつある

高瀬　90年代半ばぐらいから、だんだん日本が戦争への準備をしていく。アメリカと一体化する流れが出てきて、故安倍元首相時代に集団的自衛権を含む安保法制を作ってしまいました。知らないところで日米一体化が進む。恐ろしいと思います。

横田基地には核が持ち込まれているという疑惑もあり、1980年にブロークンアロー（核事故演習）の写真が撮られています。沖縄にも当然のように核が持ち込まれていたし、横須賀でも航空母艦に積まれてきているという話もある。この話は公然の秘密になっているので、横田でも十分ありえます。東京の、我々が住んでいるすぐ近くに核兵器が持ち込まれているとすれば笑えない話です。

それと、横田基地は、アメリカとの玄関口になりつつあるということです。最近では、2022年8月5日にペロシ下院議長が横田基地を経由して東京の都心に来た。バイデン大統領もトランプ元大統領も、横田基地から入国しています。

トランプ元大統領以前の大統領は、主権国家である日本を一応尊重して、羽田なり成田から入ってきた。配慮なしに来日してきたトランプ元大統領のときから既成事実化されて、横田から入国するルートができてしまった。

これでアメリカが日本をどう見ているかがわかるというものです。一度、既成事実を作ったら、当たり前のように入ってくる。これに対して、日本側はなにも言わない。政府もメディアも、まるでこの話題に触れない。

白井　パスポートコントロールを通っていないということですよね。大統領や副大統領本人はもちろんのこと、付き人なども皆パスポートコントロールを通らないで来日しているわけです。日本の外交筋が「ちょっとご遠慮願えませんか」ということを全然言っていないんでしょう。NHK、他のメディアもそうですが、言ってみれば空気を読んで「これはおかしいことじゃないですか」というような問題提起を全然しない。安倍政権以降の「日本人の奴隷根性ここに極まれり」が、ますますひどくなっている。

高瀬　本当にそうだと思います。これからもアメリカから要人が来日することがあると思いますが、どういうコースで来ているか、よくチェックしたほうがいいと思います。それに対して政府がコメントを出すのか出さないのか。報道がどう報じるのかを見ていく必要があります。おそらく、何もアクションを起こさないだろうとは思いますが。

「天皇の上にアメリカがある」ことの象徴的な場所

高瀬　アメリカ要人を乗せ都心に来たヘリは、六本木にある赤坂プレスセンターという基地に着きます。その近くには、日米合同委員会が開かれるニュー山王ホテルがある。ここに両国の軍人や官僚が集まり、政策がほぼ決まる。ここで日本の根幹が決められている。しかし、山王ホテルは、あの二・二六事件のクーデター側の司令部が置かれたところですね。

白井　そうですね。ここが戦後はアメリカのヘッドクォーターになった。現在でも我々が「今日はニュー山王ホテルで飯を食おう」といって入れる場所ではない。要するに、米軍や大使館専用の施設であって、日本人はお断りという、日本の中のアメリカです。端的に言って、こういうのは屈辱的と言うんじゃないですかという話です。

日本はアメリカの51番目の州だという言い方がよくされますが、それはアメリカの各州と同格という話であって、状況は決定的に違います。もっと悪い。なぜかというと、日本ではアメリカ軍用機が東京の市街地を低空飛行している。しかし、アメリカ国内では法律で市街地上空での低空飛行は許されていません。

日本にも航空法があって、普通の飛行機は市街地で無暗に低空飛行はできないですが、米軍機は航空法の適用除外ということで、我が物顔で東京の空を飛び回っている。アメリカの州の一部どころか、もっと低い、格下に見られていることが明白です。

高瀬　本質を突き詰めれば、日本の国土も空も、アメリカが自由に使えるということです。非常に象徴的なのは、二・二六事件とは、青年将校たちが天皇親政を目指して昭和革命、昭和維新を起こそうとした事件でした。その場所に日米合同委員会がある。白井さんが『国体論』で著した、「戦後は天皇の上にアメリカがある」という象徴的な場所になっていますね。

白井　もう一つ、それに近い例を挙げると、東京都三鷹市にＩＣＵ（国際基督教大学）があります。この場所はもともと軍用機の開発・製造を行っていた中島飛行機の工場で、すぐ横に調布飛行場がある。敗戦の結果、日本の航空機産業は系統的に壊滅させられ、いったん跡形もなくなった。

アメリカが戦後日本の解体・再構築を行う際に、どうやって日本が戦争を拡大し、ついにアメリカに牙をむくに至ったのかを研究した。そこで当時の日本のキリスト教者は何をやっていたのか調査すると、戦争を止めるどころか、むしろ天皇陛下万歳で戦争に協力し、煽った。これはまずいと日本のキリスト教を立て直す意図のもとに、アメリカ主導でキリスト教の大学を作った。そこにお金を入れたのがフォード財団で、ＣＩＡも絡んでいただろうと言われています。

これは、ドイツにおける西ベルリンのベルリン自由大学の成り立ちとそっくりです。ＩＣＵのキャンパスを立地した場所がぶっ潰した中島飛行機の工場の跡地だった。

高瀬　歴史の地層が表出していますね。

白井　そして話は続いていく。秋篠宮家の人がＩＣＵに行くのは、いかがなものか。

高瀬　わかっていたんでしょうか？　ある宗教学者に聞いた話ですが、戦後、アメリカは日本をキリスト教民主主義で改革しようとした。マッカーサーは、アメリカから日本に牧師と神父を２０００人くらい呼んでいます。改宗させようとしたんですね。つまり、戦後の敗戦の心の空洞をキリスト教で埋めようとしたわけです。しかし、日本人はまったく心を動かされなかった。改宗されなかった。

　キリスト教民主主義でやっていこうという拠点大学としてＩＣＵ（国際基督教大学）ができた。同時に日本で最初のカトリック系の大学で、イエズス会系の上智大学もキリスト教拠点大学として考えていたそうです。こうして見るとアメリカの意図が見えてくる気がします。その大学に皇室から進学する。これも象徴的ですね。

白井　それこそ、「菊と星条旗の結合」です。

高瀬　ＩＣＵはリベラルな学者も輩出しているレベルの高い大学です。べつにＩＣＵの中身にケチをつけるわけではなく、開学の経緯にはさまざまな意図があったということなんです。東京のいろいろな場所を調べると、戦前から戦後にかけての連続性が見えてきます。

首都の空は日本の空ではない？
〜「横田空域」という問題〜

白井　米軍基地のほとんどは、もともと日本の陸海軍が持っていた基地を接収してできています。横田基地は少し特殊な経緯で、立川飛行場を移転した飛行場です。横須賀も連合艦隊の本拠地が米海軍にとって世界で最も重要な基地の一つとして転用されている。基地の街には独特の雰囲気がありますね。帝国陸軍の大きな基地があった立川は、今でも独特の猥雑さがあります。

高瀬　ＪＲ中央線立川駅の北側から１００メートルから２００メートル行ったところに、立川ベース（基地）のゲートがあった。そこから昭和記念公園まで一駅あります。あの敷地がすべてベースだった。広大な敷地です。

白井　キャンプ座間も、もともと帝国陸軍の土地です。相模原に相武台という地名があります。昭和の時代に、軍事拡張して新しい基地を次々に作り、相模の「相」の字に軍事の武を組み合わせて相武台という地名ができた。その相武台地域に点々と作られた基地が接収されて、米軍基地へと転用されました。

高瀬　立川の話をすると、全部返還されたのが１９７６年です。私は73年に大学進学のため東京に来ましたが、当時の立川駅は本当に小さくて、南側は「えっ」というくらいこれといったもののないところでした。駅の南北をつなぐ道がなくて、確かコンコースを通っていくため、チケットを買わないと南北を縦断できなかった。それが今や、駅前は南北とも一大商業街になって栄えている。基地がなくなるとあれくらい発展するということを立川は証明している。立川に行くと、いろいろなことを考えさせられます。

それともう一つ、横田で絶対に外せない「横田空域」という問題があります。いわゆる横田ラプコン（レーダーアプローチコントロール）といって、横田の米軍が許可しなければ入れない空域がある。三浦半島から伊豆半島にかかる場所から新潟県まで、米軍の空域、米軍優先空域ということになっています。初めてこれを知ったときに本当に驚愕しました。羽田から発着するときに、変な飛び方をする。あるいは旋回して着陸するのはこのせいです。

白井　最も本質的なことは「首都の空が自分の空、自国の空ではない。これはどういうことだ」という話ですよね。

高瀬　横田だけでなく、全国に米軍基地があって同じような空域を持っています。そのことも忘れないでおきたいと思いますが、横田エリアは航空管制区域といって、アメリカの航空管制のもとにここを飛ぶことになります。最近、訓練区域に変えられた。こんなことも全然知らなかったんですが、横田基地と首都圏の上空は実は訓練場なんです。オスプレイの配備は、まさにそれを証明しているということです。

白井　昨年か一昨年、毎日新聞がスクープしましたね。都心の上空で大きなビルなどを射撃の目標に擬して、オスプレイが訓練をやっていると。

高瀬　沖縄と同じことをしています。沖縄だけの問題ではなく、首都の空で行われていることをしっかりと頭に入れておいたほうがいいと思います。

米軍基地は何であるのか、あり続けるのか。結局、安保であり地位協定であり日米合同委員会というキーワードで括られるということでしょうか。やっぱり日本は動けない。

白井　この問題に関しては、日本国民の一般的な認識が低すぎるということに尽きますね。航空法が適用除外されているという話も、煎じ詰めれば日米地位協定のおかしさということになるわけです。日米地位協定は全面的に改定されるべきであって、改定しなければならない。このことは、沖縄が先導する形で全国知事会も全会一致で議決をしている。それにもかかわらず、日本の空の一部はアメリカに支配されている。与党や政府がそれを重く見て、アメリカに対して交渉をするかといったら、そのような努力はゼロです。

高瀬　いろいろな問題が起きたときに、主に全国のブロック毎にある防衛省の地方防衛局に行って交渉をするわけです。しかし、「はい承りました。米軍に伝えます」という儀式だけが行われて、実際に伝えたかどうかもわからない。日米が完全に一体になっているような感じがします。

白井　日米地位協定の改定は、日本の政治のトップレベルがやらなければ絶対にできないわけです。けれど、まったくその意思がない。自民党の石破茂さんが「日米地位協定に関しては、改定の必要があると思っている。しかし、そういったことを自民党の中で問題提起すると、お前は共産党なのかというような批判を受けてなかなかできない」と言っていました。要するに、米軍の持っている権利を少しでも削るようなことを問題提起すると、「あいつは赤だ」ということになるのが日本の保守の世界です。

アメリカが大好きという日本人の一面

高瀬　沖縄とまったく同じことが全国で行われていますが、一方で、実は日本人は、アメリカ及びアメリカ軍に親近感をもっているという一面があります。今の日本文化は、いまだにアメリカの影響を受けている。この観点からあまり語られないですが、言われてみれば納得です。

白井　私が『永続敗戦論』や『国体論』で分析したような、日本人の奇怪なるメンタリティーができあがってしまったことを、歴史的に検証する必要があると思います。

高瀬　私はアメリカ文化にどっぷり浸かった年代です。家庭にテレビが普及してきたあたりから、ジャズ、ポップス、歌謡曲、映画、ファッション、各種スポーツ、酒、ハンバーガー、コーラなどアメリカの情報が洪水のように入ってきました。プロレスもそうでした。

アメリカのテレビドラマは、我々にものすごく影響を与えました。麻布、六本木、代々木、原宿、銀座は東京の人気スポットですが、ここにもアメリカの影がある。湘南ボーイもまさにそうです。サザンオールスターズも、まさにアメリカ的なサウンドですね。

白井 アメリカ文化のとりわけ大きな窓口になったのが正力松太郎率いる読売グループです。正力はCIAと密接な関係を持っていました。アメリカからすれば、メディア王を通じて親米感情を大いに広めてもらおうという狙いだったわけで、正力からすれば、アメリカと接近することによって、ビジネスを大きく伸ばすことができたという関係だったわけです。

アメリカは戦後、日本に進駐軍として入ってくる。アメリカと真正面で戦争をやって、大量の同胞を殺された。殺した連中が占領者として入ってくるところから始まっているわけです。しかし、占領改革が始まると「アメリカもそれほど悪くない」という捉え方になる。1945年になっていきなりアメリカニズムと出会ったかといえばそうではなく、対米関係が悪化する前、大正、昭和初期までは文物が入ってきていたわけです。それが太平洋戦争開戦でいったん途切れ、今度は違う形で大量にアメリカ文化が入ってきた。憎き敵でもあるがカッコよくもある、極めて両義的な存在として日本人は受け止めたわけです。

高瀬 そこに大きな力を果たしたのがラジオ、テレビなどのメディアです。

白井 アメリカは圧倒的な物量でも日本人を魅了しました。とにかく当時の日本人は飢えている状態ですから、それこそ「ギブ・ミー・チョコレート」の世界なわけです。恐怖や恨みが一方ではあるのですが、他方でアメリカが放っていた輝きは、圧倒的に豊かで明るい世界を見せた。

「暴力としてのアメリカ」と「文化としてのアメリカ」

白井 「暴力としてのアメリカ」と「文化としてのアメリカ」がない交ぜの形で存在し、日本人は両方と付き合わざるを得なかった。その葛藤が戦後の日本人に生じた。言い方を変えれば、葛藤がしっかりあった戦後の時期にこそ、日本文化は最良の発展を遂げられたと思うんですよ。

高瀬 一方で米軍基地は戦後もずっと存在していました。例えば横須賀、厚木、立川、横田、それからジョンソン（現・朝霞基地）。その基地に対する日本人の葛藤は続いていた。

それを象徴するのが『限りなく透明に近いブルー』（村上龍、1976年）。東京の福生が舞台ですが、都心に住んでいる者からすれば、福生は行ったこともない遠い地だった。この作品には、それまでにあった日本の微温的、ぬるま湯的、ベタベタしたところのない、ドライでザラザラした触感があって強烈で、基地との摩擦を描いた作品でした。

白井 横田基地の近くに米軍ハウスと呼ばれる家屋があるんです。基地ができた当初に建築されたもので、今から見れば粗末な平屋建ての木造の家ですが、当時の日本人は間取りに余裕があるおしゃれな家屋だと憧れた。米軍関係者が使わなくなると、リフォームされて賃貸や売りに出され、アーティスト系、音楽家や画家たちが好んで住んでいた時期がありました。アメリカの空気感が、クリエイティブな活動のインスピレーションになるという、パラダイムですよね。そのような世界観が何であったのか、考え直す必要があります。

高瀬 『限りなく透明に近いブルー』が書かれたときは、ベトナム戦争があって、福生ではヒッピー文化やセックスとドラッグが身近にありました。そこに兵役でやってきた兵隊がいて、今度戦争に出ていったら死ぬかもしれないという、非常にヒリヒリとした感情があった。時を経て、この状況はまったく変わりました。

白井 「暴力としてのアメリカ」と「文化としてのアメリカ」の両方を葛藤を抱えながら見なくてすむようになったのが、ベトナム戦争以後ということではないでしょうか。

高瀬 作家、田中康夫さんの『なんとなくクリスタル』（1980年）という本がベストセラーになったころは、アメリカというものが空気のように書かれていると評されました。『限りなく透明に近いブルー』は非常に抵抗感のあるザラッとしたアメリカというイメージだったのですが、わずか4年後に出版された『なんとなくクリスタル』で大きく変化した。やはりベトナム戦争の終結（サイゴン陥落、ベトナム統一）は大きかったんですね。

白井 今から振り返れば、76年の村上龍は、暴力としてのアメリカは忘れてしまおうという世相の中で「いや、それは忘れてはいけないんだよ」と表現した。その4年後の『なんクリ』では、「忘れたことを忘れさせられるほど深く深く浸透されている」という主題だったのではないかと捉えられるのではないでしょうか。

高瀬　その当時はわからないんですよね。こうやって時代を経て、初めてわかってくることがあります。

白井　忘却がまずいというのは、暴力としてのアメリカは別に見なくていいとなったとき、アメリカが実際に暴力的でなくなったのかというと、そうではないわけです。アメリカは間断なく戦争を続けるし、日米安保に基づくある種の占領軍的な性格は、今日に至るまで連綿と続いている。暴力性がなくなったのではなく、それを見ないですませるような装置を日本が発達させたということです。文化としてのアメリカだけを都合をよく消費することになっていった。

高瀬　米軍基地問題は分散化されて、全部沖縄に閉じ込められてしまう。東京の基地問題は、政府に都合よく目を逸らされていった。

作家、村上龍さんは、長崎県佐世保市で生まれています。佐世保は、まさに米軍基地の街です。本の中に書かれている逸話が興味深い。村上さんのおじいちゃんが浪花節をラジオで聞いている。そうすると、自宅の生垣の外を米兵が通っていく。近くには、いわゆるパンパンといわれる女性がいて、そこに通う米兵だった。しばらくするとその家からロックンロールが聴こえてくる。

この経験が村上龍さんの感性を作ったようで、「俺はベタベタした日本的なものは嫌だ。ロックンロールがいい」と言うんです。彼が東京の多摩地区にある武蔵野美術大学に進学して、わざわざ当時の福生に住んだというのは、そこにアメリカ的なものへの親和性を感じていたからではないかと思いましたね。

白井　米軍基地がないと生きていけない。

高瀬　70年代の福生は本当に遠い存在でした。まだベトナム戦争が続いていたころです。当時、地方から出てきて福生に住んでいる大学生というのは、「珍しい」という印象を受けました。今や日本の学生たちにそういった両義的な感情はないと言っていい。同じ日本人ですが、ときにかわいそうになりますね。

白井　忘却に対する痛みを、田中康夫は1980年の時点で描いたわけです。戦後日本人の両義的な感情を描いた作品は他にもたくさんあります。

例えば、野坂昭如の『アメリカひじき』（1967年）。明らかに『アメリカひじき』の感性とは違うぞ、というのが『なんクリ』の時代となるわけです。現代の日本人が『なんクリ』を読んで、ある種の皮膚感覚を持って痛みを感じられるのかというと、たぶんどんどん感じられなくなっているのではないかと感じています。ここはぜひ若い人に聞いてみたいです。

支配を受けている現実を自覚していない今の日本人

高瀬　今、東アジア情勢がきな臭くなっている。いろいろな思惑が絡んでいることは当然ですが、日中戦争もあり得るということを頭に入れておかなければいけない。そうなったときに、米軍基地の存在がいよいよ我々の頭の上にのしかかってくる気がしています。米軍基地をどうするか。もちろん日米安保もあるので、強固にビルトインされていますが、「永遠にこれを続けますか。冗談じゃない」と私は思います。

白井　大学で教えていても、こんなにあからさまな対米従属に気づかない。しかし、見ないですませられることが異常であることを教えると、最近はビビッドな反応が返ってくるようになりました。証明できる証拠はいくらでもあるので、次々に見せていけば、いかに異常な状況なのかはわかってきます。ただ、そういうことをきちんと教える教育者があまりにも少ない。

高瀬　わかっていて教えないというより、わかっていないという可能性も高いですよね。そもそも基地と日本の関係や、米軍基地はいったい何だということを突き詰めて考えていないから、教えようもない。

白井　こういう状態が30年、40年かけて作られてきました。『なんクリ』の3年後の１９８３

年に東京ディズニーランドが開園。まさに文化としてのアメリカだけを消費できる施設が開園しました。TDLが他の遊園地と根本的に違うのは、いったん中に入ると外の世界が見えない設計になっている。

高瀬　そのディズニーの番組を、60年代に浴びるほど見てきました。その世代が親になり、子どもが育ってくるのがまさに83年ころでした。今度はその世代が親になって、自分の子どもを連れていく。ディズニーランドをクサすつもりはありませんが、あまりにもその力は大きかったという気がします。無意識にアメリカ好きとなって、米軍及びアメリカとどういう関係にあるか、まったく考えが及ばなくなっている。

白井　快適に消費できるアメリカしか見えない、見なくていい、という、ある種の妄想ですよね。バーチャルワールドに耽溺している。

高瀬　アメリカ以外の国では日本に最初のディズニーランドができました。その後、フランスのパリや香港、中国の上海にもオープンしましたが、海外第一号が日本だったというのも象徴的な話です。

白井　40年ほどかけて作られたこの状況を、無意識の礼賛をどうやって叩き壊していくのか、大変なことだと思います。

あるテレビ番組で共産党の小池晃さんと一緒になったことがあって、出番の前にちょっと雑談をしたんです。当時、矢部宏治さんが日米関係の歪みについてさまざまお書きになっていて、かなり話題になっていたころでした。「こういう問題はだんだん認識が広がりますよね、矢部さんの本もよく売れていますよ」と話をしたら、小池さんの反応が意外でした。「それはそうだけど、あんな話は何が新しいかわからないんだよね。大学時代に勉強会をやって散々聞かされた話なんだよね」とおっしゃるわけです。「そうか」と思いました。ここに共産党の凄さも弱点も現れている。

高瀬　なるほど、大衆感覚と乖離があるわけですね。

白井　凄さというのは、占領期をはじめアメリカと戦後に正面衝突したのは共産党だったから。武装して闘争する時代もありました。日本の権力は、本当のところ誰が握っているのか。自民党を倒したとしても、その後ろの奥の院に何があるのかということを一番骨身に染みて知っているのが共産党なわけです。

　根本はアメリカだという認識を強く、しっかり持っているというのは、客観的に正しいし、凄いところです。しかし、この現実が国民の中で忘れ去られたということも、一つのリアリティなんです。共産党は、国民的リアリティをたぶん理解できていないところがある。だから、小池さんのお話の中には、強みと弱みが両方現れている気がしました。

高瀬　大衆と共にと言いつつ、大衆の感情と離れてしまった。前衛的な知識が豊富だから、そこが強みであり、認識は進んでいますよね。

白井　実際、在日米軍基地や密約に関して優れた仕事をしてきた研究者やジャーナリストには共産党系の人が多い印象があります。これはまさに彼らが本質を直視しているからでしょう。

高瀬　他にも、例えば日米関係だけではなく、米独関係とか、NATO諸国は必ず何らかの形でアメリカと関わっているわけだから、完全な独立はなかなか難しいわけです。それにしても、もう少しやりようがあるのではないか、言うべきことは言ったほうがいいのではないかという議論を起こさなくてはならないですよね。例えばドイツは主体性を持ちながらやっている。「まずは認識することから始めよう」ということからコツコツとやるしかないのでしょうか。

白井　結局、長い時間をかけてここまで意識が変わってしまったことが深刻な問題です。暴力としてのアメリカ」を見失い、なかったことにすることによって、支配を受けている現実から目を逸らしてしまった。最終審級では暴力によって担保されているアメリカ支配の構造が日本にはあって、明らかに日本は支配を受けている。そのことが自覚できていれば、何とかしてちょっとでも自由になりたいともがくと思うんです。しかし、別に支配なんかされてないんだ、自由なんだと思っていれば、もっと自由になりたい、何とかその支配を退けたいという意欲も湧いてこないですよね。

だから、私は『国体論』の中で、旧約聖書の中に出てくる「主を畏るるは知恵の始まり」という言葉を引いて論じたんですが、主を畏れるということと、知恵が始まるとはいったい何の関係があるんだと考えてみたんです。これは我流の解釈で、聖書学的にどうなのか私は知りませんが、要するに人間というのはだいたい漠然と自分が自由だと思い込んでいる。ところが、絶対的な神を知ると、自分が自由だと思い込んでいたことは、実は全部神の意志だということがわかる。自分がどうなるかということは、すべて主の意志次第ということだから、主は恐るべき存在となる。では、いったい主は何を考えているのだろう、主はいったい自分に何をさせようとしているのだろうか、ということをどうにかして知りたくなる。そこから知恵が始まる。逆に言えば、漠然と自分は自由だと思い込んでいる限り、知恵は始まらない。

高瀬　いつごろまで時代を遡ればいいのでしょうか。戦後の占領期まで戻ったほうがいいんでしょうか。戻らなければいけないんでしょうか。

白井　昭和後期、平成以降は、経済、政治のみならず、文化的にも衰退の一途をたどりました。なぜそのようになってしまったのか、戦後までの全歴史を網羅して考える必要があると思います。

高瀬　基地問題から予想以上に日本のありようが見えてきますね。

3

NHKは本当に必要なのか?

巨大メディアの光と影

ＮＨＫに対する反感、怒りが国民の中に溜まってきている

高瀬　２０２３年1月25日、ＮＨＫに新しい会長（稲葉延雄・元日銀理事）が就任しますが、その人事を巡って政界の権力闘争が関係しているのではないかと報道されています。この問題も含めて、今のＮＨＫにどんなイメージを持っていらっしゃいますか。

白井　ＮＨＫをめぐる矛盾が、いよいよのっぴきならない水準にまで高まってきていると思います。ＮＨＫに対する反感、怒りが国民の中に溜まってきている。右翼的な人は以前からやや妄想的に「ＮＨＫは左翼偏向報道をしているからけしからん」とストレスをため込んできました。しかし今では、これまでむしろＮＨＫを高く評価し、「こういう放送局があることが社会にとって大事だ」と考えてきたようなリベラル、左派的な価値観を持つ人たちの中にも不満が渦巻くようになってきました。この流れは当然だと思います。

高瀬　特に第二次安倍政権以降、非常に露骨な形で問題が噴出してきた。ただ、ＮＨＫ会長の影響力は大きいですから、公共放送がわかる人を会長にしたほうがいいと「市民とともに歩み自立したＮＨＫ会長を求める会」が立ち上がり、元文部科学事務次官の前川喜平さんを推す運動も起こりました。

実はNHKのOBも非常に心を痛めており、2022年12月には前川さんを推した市民グループやNHKのOBらがNHK前で公共放送のあるべき姿などについて抗議を行いました。

永田浩三（武蔵大学教授・元NHKプロデューサー）

NHKが安倍チャンネルと揶揄されてどれぐらい経ったでしょう。「NHKニュースは政権のお先棒担ぎ。NHKじゃなくて犬エイチケイ」。こんなことを言われて悔しくありませんか。私は悔しい。悶えるほど悔しい。ですが言われて当然なぐらいひどい毎日です。私が悔しいのは、まともなNHKがいっぱいあることを知っているからです。やればできる。公共のためにいい仕事をしたい人がいっぱいいるから悔しいのです。

今回の敵基地攻撃能力、防衛費倍増という岸田政権の強引な方針。しかし、それでいいのか、どうすれば良いのかという視点でニュースは作られていません。戦後最大の憲法の危機とも言われますが、NHKはいつものようにすべてが決まってしまってから、「これで良いのですか」と言い出す始末です。後の祭り放送局。世の中はちゃんと見ています。NHKの人は取材を通じて本当のことを知っているにもかかわらず、政権にとって不利なことは伝えない。そのほうがNHKという組織の延命につながり、政権と癒着したNHKの偉い人たちにとっても都合がいいのではないかと。

大﨑雄二（法政大学教授・元ＮＨＫ記者）

私は以前、中国で民主化運動を取材したことがありますが、まさに今、当時の北京のような状況です。みんなビクビクして発言ができない。匿名にしてくれとか、私の部署がわからないようにしてくれとか、私がどこの放送局にいるか伏せてくれとか、そんなことばかりです。言いたいけど、それをどこに吐き出していいのかなかなか掴めない。30年前に島桂次というワンマンな会長がいて、そのときにも非常に息苦しい状態だったのですが、その時以上じゃないでしょうか。

高瀬　大﨑さんは、１９８９年の中国の天安門事件をかなり危険な目に遭いながら取材をされた方です。当時、中国には息苦しさがあったが、今のＮＨＫはまさにそんな感じだとおっしゃっている。

白井　中国の状況をどう評価するか難しいところですが、国家権力機構の一部である中国のメディアは、半端ではないプレッシャーが権力の頂点からかかっているだろうと思います。他方で、日本のマスメディアに関していえば、言論抑圧や規制がどれぐらいハードに行われているかといったら、ないに等しい現状です。

高瀬　60年代ぐらいの放送メディアへの権力の介入についての資料を読んだことがありますが、当時はベトナム戦争や、全国の大学で学園紛争が燃え盛った時代でした。あの頃、自民党が

NHKをはじめ民放各局に露骨に口を出していることが全部記録されている。ところが、それに対して反発する力が当時の報道にはあった。今は、いつの間にかメディアが弱体化している。でも、権力もあからさまに見られるような形で圧力をかけてこない。この構造がかなり変わったという気がするんです。

白井 読売新聞にいた大谷（昭宏）さんとあるシンポジウムでご一緒させてもらったとき、大谷さんは「安倍政権が報道に介入していると言われているが、ちゃんちゃらおかしい。介入の仕方は非常に稚拙でレベルの低いものだ。これを介入とか弾圧、抑圧と言ってしまったら、すでにこの世にいない先輩方に草葉の陰から笑われてしまう」とおっしゃっていました。まったくその通りだろうと思います。

高瀬 抵抗がほとんどできないような状況で、いつの間にかコメンテーターが少しずつ変わっていって、もの申すコメンテーターがいなくなった。

白井 誰を出して誰を出さないか決めている人たちがいるわけです。その人たちは上層部から明確なプレッシャーを受けているでしょうか。ないと思います。

高瀬 信念などではなく、自分の立場を守るために、お互いが「これはやらないほうがいい」と腹を探り合っている。そういう中で、政治が非常にNHKを気にしている。どうやって自分たちの思い通りの報道にするかという意図が大きな考えとしてあるようです。というのは、やはりNHKは日本最大のメディアだからです。新聞の力がだんだん衰え、民放も広告料収入が伸びない中、ＮＨＫだけが圧倒的に力を持っている。ＳＮＳの台頭など、伝統的メディアは全体として影響力が低下気味ですが、他も下がっているから結局、相対的にＮＨＫが上になる。

ＮＨＫの方に聞いたところでは、全国に記者が約１０００人、ディレクター、プロデューサーが約１０００人。ものすごい数の人員がいるということです。

そういう中でＮＨＫ会長はどうやって決まるのか。経営委員会は12名で構成されていて、このうち９名以上の同意があれば、会長が決まる。経営委員は、衆参両院議員の同意を得て内閣総理大臣が任命する。第２次安倍政権では、右派の大学教授や作家などが任命された。その中で選出された籾井勝人会長（元三井物産副会長）が、就任会見で「政府が右ということを左というわけにはいかない」と暴言に近いことを言って批判が殺到した。ここまで言うかと驚きました。

いずれにしても、政府が経営委員を握ってしまえば、会長を意のままに操縦できることになります。経営委員も昔はそれなりの方がいらっしゃったような気がしますが、第２次安倍政権のときには作家の百田尚樹さんが経営委員の一人として入りました。それから、右派の言論人、長谷川三千子埼玉大学名誉教授。

白井　特に百田さんを問題にしたいです。ベストセラー作家であることが、経営委員に入れる根拠になっていたと思いますが、彼の代表作『永遠のゼロ』がゼロ戦関連の有名著作のパッチワークにすぎないという話はよく知られています。作家といっても（笑）という感じですね。安倍政権時からのひどい反知性主義がここにもよく表れていると思います。

高瀬　その後ろに安倍元首相応援団の財界サロン、「四季の会」があって、ここと安倍氏が東京都内の料亭で会合し、経営委員会の現職や元経営委員長とＮＨＫ問題が話し合われた形跡がある。当時、経済財務担当大臣だった甘利明さんが籾井さんと水面下で接触をしていた。原発、基地問題で自民党はＮＨＫの報道に強い不満があって、当時の松本正之会長の続投阻止に動いたともいわれています。その急先鋒は葛西敬之ＪＲ東海会長（当時）。葛西さんが安倍さんの後ろにいたことは、いわゆる右派、日本会議系の人たちがかなり食い込んでいたことを物語っています。

白井　ここで問題を二つ指摘できます。まず、安倍をはじめとする人たちは、露骨な介入をやってきた。介入してはいけないという民主主義国家の原則をわかっていない。財界、報道、政界は、本来、相対的自立性を持っているんです。それぞれが相対的自立性を発揮して機能することが社会全体の利益を増進するという考え方がない。政治、経済の権力者たちが「こうあるべきだ」と考えていることを報道や放送にダイレクトに押し付けてもよいのだ、という非常に貧しい社会観を持っていることが透けて見えます。そしてもう一つには、押し付ける内容が非常にショボい。この何十年もの間、日本の方針を誤らせ続けている国益の主張をＮＨＫを通じて宣伝しようとしてきたということです。

高瀬　広くいろいろな意見を取り入れて取材をし、バランスの取れた放送をする、というのが本来の公共放送だと思うんですが、公共放送という名のもとに、ある限定された人たちの利益だけが代弁されていく形ができあがっている。

ニュース番組が「今日起きたこと」のダイジェスト版に

高瀬　ここから、ＮＨＫでいったい何が起きているのか突っ込んでいきたいと思います。今回、ＮＨＫの職員の方にアプローチすることができ、ＮＨＫ職員の声をまとめた文書も入手しています。その二つを合わせながら話をしていきたいと思います。まず、ニュースへの不信感というテーマです。

これはある職員の証言ですが、ＮＨＫの代表ともいうべき「ニュース７」「ニュースウォッチ９」では、起きたことしか放送せず、批判する力、追求する姿勢が弱くなっている。国会での審議、議論などのニュースは編集で丸く収めていく。それから、世界の紛争地域に記者を出さない。記者を出して、もし記者が死亡したときに遺族にどう説明するのか。この対応への体制が全然できていない、というようなことを言っていました。今、ニュースの視聴率は相当下がっていて、全盛期は二十数パーセントあったものが今は十数パーセントに半減している。

テレビメディアの影響力の相対的低下、権力に余裕がなくなってくるに従って、官邸主導でメディアコントロールが行われているという話が聞けたわけですが、ニュースに関してどう思われますか。

白井　私は実は7時のニュース、9時のニュースはもう何年も見ていなくて、見ると腹が立ってリモコンを投げつけてテレビを破壊しかねない。この10年近く、「ニュース7」がやってきたことはほとんど犯罪です。安倍元首相の国会答弁はしばしば破綻していたわけですが、「ニュース7」のダイジェストでは、それなりのきちんとした答弁をしたように見える。この編集手腕は職人芸の域に達していました。

高瀬「ニュース7」と「ニュースウォッチ9」は、今日あったことのダイジェスト版でしかありません。ニュースは、そこに価値判断が入ってこないと意味がわかりにくいことがあります。

白井　価値判断以前に、意図的な切り取りが多いです。自民党政権に有利になるような切り取りがあまりにも多い。そう考えると、かつて二十数パーセントあったニュースの視聴率が今や半減したのは当然のことです。

速報性という点では、ネットメディアの比重が高まっています。そうなると、本当にNHKのニュースには存在意義がないということになってきます。

高瀬　国際報道に関しても腰が引けています。危険な場所にも行く仕事ですから、場合によっては記者が亡くなるかもしれないと想定して、そのとき遺族にどれだけお金を払うのか、世間に対してどういうふうに発表するか、本来は考えなければいけないが、ほとんどできていないということでした。

白井　自衛隊員の置かれた状況とも似通った話です。海外派遣されれば、武器を取らなければならないようなシチュエーションも現実にはある。そのとき、撃ったことが正当防衛といえない場合も考えられる。軍法会議が必要な話なのに、自衛隊が戦闘をすることはあり得ないということにしている。自衛官の法的ステータスが非常に不安定な状況のまま派遣されているわけですが、それとＮＨＫの海外派遣の状況は非常に似ている。

高瀬　当然批判も出るでしょうが、肝心なところをきちんと詰めて議論しなくてはならない。「現状こんなものだから」と言いながら派遣を繰り返しているので、矛盾が起きる。一番困るのは実際に現場に行く自衛隊員であり、海外派遣記者です。

白井　現状、制度がちゃんとしていないから行けない、行かないになっていますよね。でも、昔も制度がなかった。でも、派遣されていた事実はあるわけで、それは何だという話になる。

政権に対して弱腰になっているＮＨＫ

高瀬　次に、政治との距離についてです。今、ＮＨＫが政権に対して弱腰であるという理由の一つに、デジタル化が進行する中で、ＮＨＫもデジタル化に乗り出すという問題がある。放送局は放送法で規定されていますが、これはテレビ、ラジオの番組制作についての規定で、デジタル化したときにお金が取れるのかなど、制度も追いついていない。デジタルコンテンツは原則、受信料は取れないので今後どうするか。となると、政治にいろいろとお願いをすることになるわけです。毎年、予算の国会承認もあるので、尖ったことをしたくない。ＮＨＫの予算が国会で承認されるのは原則３月です。だからその時期にはパッとしたものは報道しにくい。ところが、４月になったとたんにスクープや政権に切り込んだ番組などが放送されるというのです。

白井　面白いですね。これは、新たなメディアリテラシーとして認知されるといいと思います。ＮＨＫは４月に面白い番組が増える。

高瀬　２００１年１月に放送した「問われる戦時性暴力」というＮＨＫのシリーズは、政治が関わって裁判にまでなった。結局、番組内容を変えられたり、重要なところが削除されたりしましたが、４月ぐらいに放送していたら、ひょっとしたら違ったのかもしれない。というのも、『ＮＨＫ―危機に立つ公共放送』（松田浩、岩波新書）を読むと、ＢＰＯで戦時性暴力の問題についてはちゃんと結論を出しているんですが、予算承認を意識した当時の海老沢会長が政府に付度をして、内容改修の指示が出たのではないかと結論付けられている。

今も続いている「クローズアップ現代」という番組で、非常に評価が高かった国谷裕子キャスターが２０１６年に降板した。当時の官房長官の菅義偉さんにインタビューをしたことが原因とささやかれました。しかし、そんなに単純なものではなかったようです。降板の理由は若い世代の視聴率が落ちてきているし、国谷さんも長くキャスターを務めてきたのでこのあたりで降板いただくということに表向きはなっている。

白井　有力者が激怒したというような話が伝わってきますが、インサイダーに聞いてみると、「むしろ周りが忖度して」ということのようです。この手の話が10年ぐらいで本当に増えましたよね。

高瀬　ひょっとしたら、周りが気を遣うようなことを菅さんがちらっと言ったかもしれませんが、はっきりとしたことは言わないので、一切証拠が残らない。形として出てくるのは、直接的に批判したり、声を出した下っ端や周辺の話です。

白井　大局的に見て大事なことは、有力なメディアから批判的な論調が消えていったこと。結局、この事実は内実がどうであろうが変わらない話です。

組織がディフェンシブな体質に変質している

高瀬　次に組織の変質という問題もあります。あらゆることにディフェンシブになっていて、ニュース取材、権力批判へのチェックが厳しくなっている。リスク管理のためのニュースチェックで、どんどん安全志向になっていく。ニュースの視聴率が低下するに従って、これまで肩で風を切っていた報道部門は、比較的安定的に見られている番組部門に近づいていく。今までは独自にいろいろなニュースを独自に取り上げていた番組部門に、報道の目が入ってくる。現在はこんなことが起きているのだということでした。

白井　NHKは絶妙なバランスによって成り立っていたと私は考えています。一方では予算を国会に握られているから、どうしても政府寄りになる面がある。とりわけ政治報道に関しては、政治に対して従順にならざるを得ない傾向がある。他方で、番組制作者たちは、社会にとって、人々にとって、大事で必要な、伝えるべきものが伝わる番組を作るというプライドを持ってやってきた。この政治報道と番組制作の両極が同じ放送局の中で並列し、バランスが成り立っていた。

しかし、ニュース番組の視聴率低下によってバランスが崩れてきた。ニュース番組を作っていた人たちには「とにかく数字が出ているから、俺たちがNHKの屋台骨だ」という意識があって、それが彼らの自信につながっていたわけですが、ニュースの視聴率が半減すると、不安になって自信の根拠が失われてくる。

高瀬　自分の立場もあやしくなるかもしれないですしね。

白井　そうなると、番組制作のほうが「自分たちにも作らせろ」と言い出すようになる。しかも、現会長はこういう方針を出してきたとのことです。「番組を作る班と、ニュースを作る報道班が二つの別会社のようになっている。ＮＨＫは国民の負託に応えるために合理化も進めなければいけないし、総力をあげて番組を作っていく体制が必要だから、一つの会社の中に二つの会社がある状態はおかしい」。

一見正論に思えます。ところが、先ほど述べた微妙なバランスという事情があるため、言ってみれば二つに分かれていることによってＮＨＫの良心が保たれてきた面があるわけで、フュージョンしてしまったらそれが保てない。

高瀬　壁を取っ払って一緒のチームになるのは、一見良さそうでいて、実は相互監視の始まりかもしれません。制作局のＰＤ（プログラム・ディレクター）、制作担当者が政治ネタをやろうとすると、「謎のストップ」がかかってしまう。

そもそもＮＨＫと政権の関係については、報道局がブラックボックス化しているのが現状ではないでしょうか。政治家の取材はシビアな世界なので、勝手を知らない部署に荒らされるのは困る。逆に報道部門が番組部門に入ってきましたが、「ちょっと待て。それを扱うのか」とストップがかかる。

新聞社もそうですが、大手は特に政治部か経済部出身者しか社長にならない。政治部は当然、若いときから政治家に食い込んでいますから、だんだん地位が上がってくると、より政権に関係することになる。そこで社長候補になっていくわけです。

白井　フリーランスになれば、今度は官房機密費で食わせてもらう。フリーランスになる前から官房機密費をもらっているのではないかという人もいるわけでしょう。

高瀬　こんなことが出てくるに従って、リスクを探す能力の高い〝放送官僚〟が増加した。放送官僚という言葉がまたすごいわけですが、霞が関と似てきている。いろいろと穴を探し、細かいところを見つけて、とにかく安全に誰からも文句を言われないように「そこを削れ。ここをちょっと変えろ」というのが日常茶飯時。たぶん瑣末なところまで目を光らせているのではないかというのが伝わってきました。

白井　こうした状況が進行してくると、風通しが悪くなってくる。自己保身に走って、ますます内容的に劣化していく。デフレスパイラル的な状況に陥っているのではないでしょうか。

個の力で何事も突破できるような人材が減少

高瀬　「ニュース7」や「ニュース9」が面白くないのは、エッジの部分をどんどん削られて、毒にも薬にもならないようなニュースばかりだからではないかという気がします。

そもそも、ジャーナリズム精神はＮＨＫにあるのかということですが、大卒の新人が入局したときは各地方局に配属されていろいろなことをやっていく。だから、報道もやれば、バラエティのようなこともして育てられていくので、たまたま報道局に行けば報道をやるけれど、

「私はこの公共放送でジャーナリストとして」というような、ストレートな議論がほとんどないのだそうです。

白井　たぶん、どの業界でも同じではないかという気はしています。大学でも、教員が学問の話をしていない。学内行政でアップアップしていて、学問とは何か、知識人とは何かといった議論は、どこの大学でも稀になっているのではないでしょうか。

国全体として、空間的に劣化していると思います。ＮＨＫに限らずマスコミ業界全体に言えるかもしれませんが、「ジャーナリズムとは何か」をきちんと体系立てて学ぶ機会がないまま業界に入り、勤め始めても学ぶ機会を与えられないことが問題なのではないか。

高瀬　私は東京のある民間放送局からメディア業界に入りましたが、学生時代、業界の先輩やいろいろな人から「ジャーナリズムとかマスコミ論のゼミに入ってないほうがいい」と言われました。そういうところで理屈を教わったら、会社から嫌われる。会社は、新人を徒弟制度のように、夜討ち朝駆けから学ばせていくときに、ごちゃごちゃ言わない奴が使いやすいと考えるからです。

白井　かつての人材育成の仕方には、良い面と悪い面がありました。悪い面から言えば、それこそ夜討ち朝駆けはおかしい。日本は、パブリックパーソンを甘やかしているだけです。例えば、警察署長のような立場の人はパブリックパーソンだから、自分たちのやっていることに関して説明責任がある。言えることの範囲の中で言わなければならない。朝から晩まで一生懸命しつこくつけまわすとようやく話してくれるというのが伝統的に当たり前になっているわけですが、そもそもそんな公人の在り方がおかしいのです。

高瀬　権力から情報を取るときに、どうやれば取材対象者に可愛がってもらえるか、どうやれば他社よりもその人に食い込めるかを学ぶことが当たり前のこととしてあるわけです。

私は放送局で記者をやっていましたが、ドキュメンタリーにも関わっていたので、比較的記者クラブから距離を置いたところで仕事をすることが多かったのです。いわゆるNHKの番組班みたいなものです。そこでやっていると独自に動くしかない。記者クラブに久しぶりに行くと、あまりなじみのない記者ばかりで、その雰囲気の中になかなか入れない。一種の〝ムラ〟ができあがっていて、居心地がよくないんです。そこでは情報が行き交うかもしれないが、権力側は「今回はこの新聞に書かせよう。この放送局でスクープを出させよう」という割り振りをしている。特ダネというのは、ほとんどリークで作られている。

独自に調査報道できちっと特ダネを取るときは時々ありますが、これが本当の記者の仕事だと思うんです。記者クラブ中心に取材をしていると冤罪を産む構造もあって、１９９４年の松本サリン事件のときにはそれを強く感じました。新聞もテレビも締め切りがどんどん迫ってくる。そのときに警察が河野義行さんの家に出入りしている。「何かないですか」と記者が聞くと、捜査員が「農薬があった」とか薬品のようなものが置いてあったとか、断片的な情報をチラチラ言うわけです。それらを集めていくと何となく構図ができあがっていくわけです。事件の取材では往々に起こりがちですし、記者クラブの弊害ですよね。

白井　まさにそうだと思います。記者クラブ制度を基礎として、メディアと公人の癒着があり、癒着を基盤として権力によるメディア・コントロールがされている。当局が流したい情報が流され、つくりたい現実がつくられているというわけです。これが記者クラブの大きなマイナス面です。

他方でプラス面をあげていくと、ジャーナリストはどういう気概を持って、どういう精神で仕事をしなければいけないかを、先輩の背中を見ながら学んでいくことでしょうか。

実は学術世界もそういうところがあって、研究の進め方や論文の書き方の詳細なマニュアルを、少なくとも私は教えられたことがないんです。だから、教える立場になってみたら教え方がわからず、「自分で考えなさい」と言うしかない。自分の経験を振り返るならば、師匠あるいは少し上の先輩が言ったり書いたりしたものや、ゼミで報告する姿、内容などを見て、「これくらいの密度でやらなきゃいけないのか」ということを学んでいく。

高瀬　日本的風土そのものですね。

白井　そうですね。職人的な流儀なのだと思います。師匠の背中を見て学ぶ、技を盗む、みたいな。このやり方には良い面もたくさんあると思うのですが、今の時代、良いところを良い意味で伝承することがどんどんできなくなっているのではないか。

高瀬　昔の組織はある程度きちんとしていたし、正社員が多く、メディアも儲かっていたから、それなりに取材や編集、制作の技術も継承されていた。しかし、外の制作会社が制作部門の中心になり、予算、人員の面でも苦しくなってくると、きちんとした番組作りが伝わっていきにくくなる。

ＮＨＫの職員の方がおっしゃっていたのは、例えば官邸で記者会見があったときに、ピシッとした記者の質問が出ないということでした。東京新聞の遊軍記者、望月衣塑子さんが行ったらバンバン遠慮なく質問するけれど、記者クラブの人間はぬるい質問をして、あとは個別にネタをもらいに行くのがルーティーンになっていき、権力側に取り込まれていく。

白井　それはどの局も、新聞もそうなっていますね。下を向きっぱなしでひたすらキーボードをカタカタ打っている彼らの姿がしばしばカメラに映し出されるわけですが、恥ずかしい姿を晒しているという自覚はないのでしょうね。

高瀬　２０２２年、有名な問題が起きました。ＮＨＫの「河瀬直美が見つめた東京五輪」という番組で、虚偽の字幕を付けた問題です。東京オリンピックのドキュメントを撮る河瀬さんを追いかけた番組で、東京オリンピックに反対するデモをやっていたおじさんが、「そのデモにはお金が出ている」と言う。この人の話が、実態がない嘘ではないかという疑いが出ました。東京オリンピックに反対する人たちを悪く見せたい何らかの力がＮＨＫに働いたのではないかとまで言われました。

デモに行ったらお金が出るなど、普通に考えればありえない話だし、デモに取材に行けばすぐわかるのに、誰もその証言部分の映像についておかしいと思わず、そのまま出してしまった。NHKの内部をよく知る人の話では、政治介入はなかったと言うのです。私は「えー！」と思いました。

白井　想像を絶するレベルで人材が劣化していると考えざるを得ません。

高瀬　職業人として最低限の常識やプロとしての技巧がなくなっている。事実はたいてい、我々が想像する以上のものです。いろいろな圧力がかかっているのではないかと思いがちですが、実は自分たちのほうで崩れている。より深刻だなと感じました。

白井　人事を巡っても、確かに国谷さんがほぼ更迭同然の形で去ったのは事実です。ある時期、NHKの内部に関して、外部からは「批判的な職員はどんどん左遷されている」といった憶測がずいぶんされましたが、そういうことでもないらしい。でも、確実にニュースの質はどんどんひどくなっているし、後退に後退を重ねてきたのは何を意味するかということですよね。

高瀬　政権の力も加わっているので、自由闊達な公共放送としての空気が失われていく。政治の一つの罪ですが、それに対してNHK内でちゃんと対抗していく力も失われてきていることを示す話でした。

白井　先ほど紛争地域への取材の話でもありましたが、昔は紛争地にNHKの記者が行っていた。なぜできたのかというと、個の力だったということです。強い個人が、いろいろな矛盾や難題を突破していた。そういった個人で突破できるような人材がどんどん減ってきているのだと思います。

戦前から戦後にかけた歴史の流れ

高瀬　ここで、NHKはどういう組織なのか、少し歴史を振り返ってみたいと思います。NHKは、1924（大正13）年に発足しています。当初、商業放送の予定でしたが、犬養毅逓信大臣が放送の影響力を重要視して公益法人に方針転換した。放送は甚大な影響力を持つから、NHKが開局するときから政府が介入しました。

白井　最初はラジオですよね。端的に言うと、ラジオはファシズムを作り出しました。ラジオという当時のニュー・メディア抜きにナチズムは不可能だった。声で直接人々に語りかけるメディアの成立は、やはり大変なものであったわけです。

高瀬　ラジオの時代から、すでに政治との関係は非常に深いものがあったということですね。政府の管轄下に置かれて、人事・運用で自由を拘束し、番組内容などを放送日前日までに逓信省に届ける事前検閲だった。このころ、まだ戦争は始まっていませんが、すでに国家の放送局みたいな体質もできあがっている。

日中戦争が1937年に始まり、40年に内閣情報局を設置。今度は、番組企画・編成は内閣情報局が指導していく。完全に戦時体制ですね。国家政策の徹底、世論誘導、国民の戦意高揚の三原則に則り放送された。ナチスの「政府の時間」という広報番組を真似て、ＮＨＫは「国家の時間」を作ったということも聞いています。結局、国民を戦争に追い立てていった。あのときのＮＨＫの力は大きかった。

白井　日本の場合、ラジオと戦争と言えば、玉音放送を思い浮かべます。玉音放送が流せなかったら、ほとんど抵抗のない形で敗戦を迎えることはできなかったのではないでしょうか。

高瀬　そこはものすごく重要なポイントですね。新聞では伝わるのも時間がかかりますが、天皇がオンタイムで声を出せば影響力は絶大となります。だから、ＮＨＫは歴史的に非常に大きな役割を果たしたと言えます。

戦後、アメリカの占領下で、アメリカは間接統治の手段として戦前のメディアを温存しました。ドイツでは、戦争に協力したメディアは全部潰して、取り替えたわけです。しかしアメリカは巧みで、新聞社もＮＨＫも全部残した。

１９４８年、日本新聞協会が編集権は経営者にあるとして「編集権声明」を出した。このあたりから日本の民主化もだんだん雲行きが怪しくなる。要するに逆コースです。１９５０年からの朝鮮戦争とレッドパージで、放送・報道の民主化が挫折していく。

白井　戦後日本が今日に至るまでの体制の基礎は、逆コースです。

高瀬　そこで、政治介入の仕組みが作られていきました。１９５０年４月、朝鮮戦争が始まる

2カ月ぐらい前に、電波法、放送法、電波管理委員会設置法の電波三法が成立している。6月に施行されたが、ここでGHQが要求した独立行政委員会方式が採用されました。

今、放送局は総務省が管轄しており、政府直轄です。独立行政委員会を作ると、政府が直接放送局に影響を与えることができなくなります。予算の承認などは国が関わりますが、独立行政委員会が放送局を統括していく。

ところが、吉田茂内閣により1952年8月に電波管理委員会が廃止され、電波行政は郵政省所管になる。政治からの独立を確保する電波管理委員会廃止がNHKへの政治介入の嚆矢となる。ここが大きな分かれ目だったという気がしいていいます。

白井　制度の面から見ると、本質はやはり国策放送局なんですよね。国策放送局にしては、ずいぶん国家批判をしてきた。そういう意味ではなかなか稀有な存在です。

高瀬　そこは戦争体験者の人たちがいたり、個の力がまだ強かったり、非常に中途半端だけれどいろいろなものが存立できた。これがNHKのその後の放送にも現れていて、政府は何とか抑え込もうとするが、局員が頑張って、いい番組がたくさん作られました。

白井　個の力はきわめて重要な要素だったと思います。ただし、そういう状況が可能だったのも、地政学的状況において日本が享受したある種の緩さであって、仮に朝鮮戦争で韓国が北朝鮮に全面勝利となっていたら、そうした緩さが許されただろうか。国策放送局は、国策に100%追随していくのが当然だとされたかもしれない。籾井会長主義ですね。

高瀬　1950年代後半から60年代にかけて、自民党がNHKに政治介入をしていくシステムを作っていく。NHK予算の国会審議に先立ち、自民党の承認を得て予算事業計画が国会の審議にかかるようになった。自民党の政調会、通信部会、総務会などにNHK会長ら役員が出席する。自民党の会に三つも出たら、言うことを聞きますという話になります。このあたりから、放送法と別個のところでしっかりとNHKを組み込んでいった。そんな中でも局員の頑張りはあったし、視聴者も応援していたんでしょう。

必要なのは「公共放送としての役割」をしっかり果たすこと

高瀬　かなり辛口でNHKの話をしてきましたが、公共放送の役割は本当に民主主義と直結する。だから、「何とかしっかりしてくれ」ということの裏返しでもあるわけです。

白井　私の考えてきたことを総合的に述べると、まず放送法は天下の大悪法、とんでもない法律です。テレビを設置したら、自動的に受信料を取る。こんなの税金同然です。近年では滞納していると割増で取るという。ますます悪法化しています。しかも最近では、スマホのワンセグやカーナビのテレビからも受信料を取るなどと言っている。そんなに憎まれたいのか。なお、受信可能性即受信徴取の理屈を徹底させるなら、ラジオはどうするんだ、という疑問が出てきます。筋を通すなら、NHKはAM・FMともラジオをやめるべきです。

受信料制度もとんでもないですが、コマーシャルで支えられている民放はスポンサーには逆らえない。だから、資本に従属するのか、政治に従属するのかという話になります。税金で賄えるのは安定性がある。NHKには常に二元的構造があって、それでいい仕事ができてきたので、資本によるダイレクトな支配よりはマシだという考え方が成り立ちます。

ところが、ニュース番組がこれだけ劣化してしまうと、そこにメリットを見出してきた私のようなものですら、「これはもうダメだ」と言いたくなる。さらに番組とニュースの棲み分けが踏み荒らされていって、結局どちらが優勢になっていくのだろうかと予測してみると、このままいけば国家権力の側におもねってきた連中がNHKの隅々まで権力を及ぼす展開になる。残念ながら、そういう流れではないかと思わざるを得ない。

そうなれば、ただ単に国民の財布にたかっている集団だと言わざるを得なくなる。だとしたら、公共放送としての使命を本当の意味で果たしていくことだけが、NHKに対する厳しい見方を緩和することのできる道だと思うんです。

公共放送としての役割を果たすためには、第一にできることはアーカイブを開放することです。かつて放送したものを見たいとき、現在はオンデマンドがありますが、お金がかかる。ちょっと待て、と言いたい。もう金はとったはずだ。二重取りで、ふざけるなという話です。著作権の問題で、外から買っているものは無理ですが、内製したものは基本的にすべて無料開放するのが筋でしょう。
それに、YouTubeなどにアップされたNHKの番組映像を、NHKはものすごい勢いで削除申請を出して削除させています。誰の金で番組をつくったんだという話です。そもそも著作権を主張するんじゃないという話です。

高瀬 公共とはいったい何なのか、わかっていないんでしょう。特にドキュメンタリーなど、教育の教材になるものがたくさんある。これを使いたいと思ったとき、アーカイブなどで少しだけ見られますが、なかなか全編は入手しにくい。私は、放送は公共財だと思っているんです。教育とも関わるから、どんどんオープンにしてほしい。

白井 発想の貧しさが、悲惨なレベルにあります。著作権を主張して、できるだけ囲い込んで収益性を上げようとしてきたわけですが、その結果、嫌われる一方になっている。受信料不払い運動もより強くなっていくでしょうし、スクランブルにしろという声はどんどん高まってきていますが、それは原則的に正しいです。

高瀬 相対的にニュースに関しての批判、不満が多いと思います。私の周辺でも「何でこんなものに受信料を払わなきゃいけないのか」と言う人がたくさんいます。

白井 たぶん自民党は、現状ではコントロールできているから、受信料制度を維持したままNHKを好きなようにコントロールしたほうが有利だという判断でしょう。でも、NHKへの不満がさらに高まっていくような状況になると、スクランブルを導入することで得られる大衆の支持のほうが有利だと判断が変わる可能性もあります。私は、それはまずいと思っているんです。受信料制度はとんでもない制度ですが、でもあったほうがマシです。

高瀬　民主主義を考えると、今、新聞もどんどん記者が少なくなっているわけです。取材に行くとよくわかるんですが、「メディアが来てくれた」ということで、いろいろな問題で戦っている人たちが非常に勇気づけられるわけです。

一方、良からぬことを企んでいる人たちには、「目をつけているぞ」ということを、知らしめることにもなります。そのことによって、民主主義は足元が強くなる。しかし、それが今、ものすごい勢いで低下しています。ＮＨＫまでもがガタガタになっていくと、日本のデモクラシーの足腰が完全に弱ってしまうことになります。

白井　ＮＨＫの中にはちゃんとした人がいて、その力が発揮されるべきだと思います。絶対に潜在力はある。もちろん政治マターも絡んでいてなかなか難しいところがあり、一点突破などとは軽々に言えませんが、力を発揮させるために、まずアーカイブを開放し、動画サイトへの削除申請をやめていけば、世間一般のＮＨＫに対する風当たりは緩みます。

高瀬　信頼や期待感を、もう一度取り戻していかないといけません。中にいる方が何人かおっしゃっていましたが、褒められたり「あれはよかった」と言われると、やはり励みになるそうです。私は日本の民主主義のためにもＮＨＫは再生してもらいたいと思います。そのギリギリのところに来ているかなという感じです。

白井　良い番組はアーカイブで無料開放していって、さらに野心的に考えれば、それを多言語翻訳していけば、国際的にも「すごくいい番組を作っている」という評価が得られるし、国際的影響力も得ることができるはずです。

日本社会の生きづらさと資本主義のリアル

マルクス再読から
現代社会を考える

4

現代の資本主義社会を考えるうえで重要な「包摂」という概念

高瀬 この章では、『資本論』で知られるマルクスを取り上げます。『資本論』を読み通すのはなかなか骨が折れますが、とても気になる本です。解説本が何冊も出ているのも、その証明だと思います。ただ、1991年に社会主義の総本山だったソ連が崩壊し、「マルクス主義はもう終わったのではないか」というイメージを持つ方もいらっしゃると思います。

白井 そもそも論として、確かにソビエト連邦はマルクス主義を国是とする国だと自称していたわけですが、マルクス思想とソ連の国家体制とのつながりは、実はあまり自明のことではありません。マルクスの本をいくら引っ繰り返しても、どうやったら理想とする社会主義体制、共産主義体制を建設できるかというようなことはほとんど書いていない。

では、マルクスは何をしたのかと考えると、まさに『資本論』のタイトルにあるように、資本について考えた。資本主義社会とはどういう社会なのかを一生懸命に分析したのが、マルクスの業績の一番大事な部分です。

そう考えると、ソ連が崩壊したこととマルクス思想の妥当性や有用性は、実はあまり関係がないということを前提として共有しなければならない。ソ連が崩壊して、マルクスはもう完全に古いと言われるようになってから30年ほど経ちますが、「マルクスが言っていたことは結構当たっている」という形で資本主義の危機が起こると必ず呼び戻されてくる。資本主義はずっと危機をはらんでおり、危機をはらみながら発展してきた。その資本主義システムに内在的な不均衡がある。そこを考えるうえで、マルクスの理論はいまだに非常に大事な参照先なのだと思います。

『資本論』により「マルクス主義」を打ち立てたカール・マルクス

高瀬　そんな中、白井さんが2月に『マルクス　生を呑み込む資本主義』（講談社現代新書）を出されました。

白井　『資本論』は巨大な書物で古典でもあるので、いろいろな読み方ができ、現にいろいろな読み方がされてきたわけです。特に今回は「包摂」の概念に焦点を当てて、ガイドを書いてみました。マルクスはいろいろな概念をクリエイトしたわけですが、現代の資本主義社会を考えるうえで、「包摂」という概念が非常に大事な視角を与えてくれるのではないかということで、現代の事例などを引きつつ掘ってみたいと思います。

高瀬 包摂というのは、英語で普通はインクルージョン（inclusion）のことで、一人も人間をこぼれ落とさないようにして包み込む、ある意味、優しさのあふれた概念だと思いますが、これとは違うということですね。

白井 はい。社会学などでよく用いられるインクルージョンの意味での包摂とはまったく違います。『資本論』の中で「包摂」と訳されている言葉の元々の意味は、英語で言えばサブサンプション（subsumption）です。社会あるいは人間存在、あるいは拙書のサブタイトルにも使った「生を呑み込む」、この呑み込むということがサブサンプションで、生きとし生けるものすべてが資本によって呑み込まれてしまうというイメージです。

『資本論』における「包摂」とは？ 二つの事例から考える

高瀬 具体的な事例を出していくと、どういうことなのかがよくわかりますが、この本の中では二つ事例が取り上げられています。一つはオリエンタルランド（東京ディズニーランド）のパワハラ事件、もう一つが居酒屋甲子園です。

まず、オリエンタルランドのパワハラ事件です。ディズニーランドのショーに出演していた41歳の女性の契約社員が、2013年1月に着ぐるみのキャラクター姿で接客をしていた際に、客に右手の薬指を曲げられてケガをした。労災を申請しようとしたところ、上司から「君は心が弱い」などと拒まれて約5年間にわたってパワハラの被害を受けた。同僚たちからも、「ババアはいらねえんだよ、やめちまえ」、「病気なのか、それなら死んじまえ」と罵詈雑言を浴びせられたというものです。

女性は、運営会社のオリエンタルランドに330万円の損害賠償を求め訴訟を起こしました。22年3月に判決が出て、千葉地裁はオリエンタルランドに88万円の賠償を命じ、職場環境を整えるなどの配慮を怠ったと指摘した。しかし、上司らの言動はパワハラと認定しなかった。オリエンタルランドは、これに対して控訴したということです。

白井　包摂とは、我々のすべて、我々自身も、我々が生きている生態学的な環境も資本が包み込んで、いわば資本のためのものに作り替えていくことです。

一方で、現在、社会的に大問題として語られているのが、気候変動などグローバルな環境危機です。自然環境全体が資本によって包摂されていくことによって、自然環境が取り返しのつかない形で破壊されていって、地球が人間の住むことのできない場所になってしまうのではないかと言われているわけです。

従来、マルクスの思想と環境問題は関係ないという見方が強かったのですが、そんなことはありません。資本は、資本自身のために何でも包み込んで何でも利用していく。どんなに環境破壊が進もうと資本にとっては「そんなの関係ねー！」の世界です。そういうロジックを資本が持っていることをマルクスは『資本論』で明らかにしています。

マルクスが生きた時代は、まだ環境問題は軽微で局所的なものにすぎず、大きな主題にはならなかったかもしれませんが、そのロジックの中心部分からストレートな帰結として出てくる事柄だということで、日本では斎藤幸平さんなどが注目をして議論を立てていらっしゃいます。

私のほうは何をやろうとしているかというと、確かに資本は自然を包摂して自然を壊しつつあるけれど、もう一つ重大なことには、我々自身もある意味自然であり、自然的身体を持っているという事実に注目しています。

我々は、精神や心と呼ばれるものを持っていると想定されています。心や精神、内面、人間性といったものも、実は資本にとっては包摂の対象です。そのことが今、いわば赤裸々に現れ、包摂の度合いがどんどん高まってきている。資本主義が高度化すれば、必然的にそうならざるを得ないのですが、私たちはだんだん資本主義者になっていく。それが、人間の魂に対する包摂ですね。その一例として、オリエンタルランドのパワハラ事件、そしてその訴訟を取り上げました。

高瀬　私が気になったのは、この女性契約社員が客の暴力でケガをさせられ、労災申請をしようとしたところです。本来、上司は「仕事上の事故だから労災を申請しよう」と言うべきところ、「君は心が弱い」と言い、そこからパワハラが始まりました。同僚たちは、本当はこの同僚をかばってもいいはずです。ところが、この女性を迷惑な人のように批判している。ここのところが大問題、一番のポイントだと思います。

白井　同僚たちは被害者に対して同情的に寄り添うどころか、「お前みたいなのがいると目障りだ」とみんなでいじめます。マルクスの『共産党宣言』には、「万国の労働者よ、団結せよ」という有名な言葉がありますが、この事件からわかるのは「労働者は団結しない」ということです。

高瀬　本当に、労働者同士で切り崩しているような感じです。

白井　一人ひとりの労働者は無力だが、団結することによって資本の搾取から自分自身を守ることができるわけですが、レーニンの研究をしているときに、自分で考えてたどり着いた結論は、「労働者よ、団結せよ」というのは非常に難しい要求だということです。

どうしてかというと、資本主義社会は基本的に自由競争を原則としています。競争というと私たちが真っ先に思いつくのは企業間の競争、資本間の競争です。ですが、突き詰めて考えると労働者同士も競争的関係にあり、たとえば同期は友人であると同時にライバルでもある。結局、資本主義社会のルールは自らの商品をどれだけたくさん売って、どれだけたくさんの利潤を得るかの勝負だということです。労働者は、「労働力商品」という自分の労働力を資本に対して売っているわけです。そうすると、労働者間でも販売競争が生じます。
もし、労働者の存在が、他の人間性は一切ないものとして、純粋にそのような賃金労働者であるとするならば、やるべきことはとにかく自分の「労働力商品」を高く売ることなので、他の労働者はどうでもいいということになります。

高瀬 そうすると、上司がパワハラをして、同僚たちから「お前なんかいらない」と言われるのは、理論的に言えば当然の帰結という話になりますね。

白井 そうなのです。場合によっては、他の労働者は踏み台にしてもいいということになります。資本主義の構造を突き詰めていくと、原理的に団結しようがない構造が見えてきます。

高瀬 まさに今、世界中を覆っている新自由主義そのものですね。ですがこの何十年間、労働者が労働組合を作って、団体として資本に対抗してきた。逆にみんなで団結をしていたのが切り崩されてきて、個々がバラバラになってきた。資本主義の原型があからさまに出てきたというふうに受け取っていいんですね。

白井 純粋な資本主義人間としての労働者を想定してみたわけですが、これは理論的な空想です。実際は、人間には他者に対する優しさ、思いやり、配慮、同情などがあるので、「同僚を落とし入れても自分が出世してやる」と考える人間は一部にはいても、みんながそうというわけではありません。
ですが、現在の新自由主義化する社会の中で、実際の労働者が、先ほど想定したような純粋な労働者、つまり「自分の『労働力商品』が高く売れるなら、自分だけが有利になるなら、あとは何でもいい。他のやつがどうなろうが知ったことではない」という純粋資本主義の論理と一体化した状態にだんだん近づきつつあります。

高瀬　内面性まで変えられつつある。それがまさに資本と一体化していくということでしょうね。

もう一つの事例は、居酒屋甲子園というイベントです。全国から参加した居酒屋の店員たちが、５０００人以上の来場者の前で、居酒屋で働く希望をつづった言葉を感極まりながら絶叫する。一つのお店のスタッフが一緒にチームを組んで、一種の出し物をやるのですが、基本はスピーチです。そのスピーチの内容が、「夢は一人で見るものではなくみんなで見るものだ」「人は夢を持つから熱く生きられる」と、泣きながら絶叫するカルト宗教を感じさせる光景でした。しかしそれを見て、出場者の同僚や来場者は涙ぐんだり、笑顔を浮かべたりと、とても共感したんです。

ところが、居酒屋の労働者の労働条件は１日16時間労働で年収２５０万円。かなり厳しい状況です。マルクスが説いた「賃金の生存費説」を下回っています。

白井　要するに、これは現代の典型的なブラック労働、雇用労働条件の劣化の典型です。ろくな給料をもらえず、ものすごい長時間労働という状態に労働者たちが追い込まれている。そのきつさがどういう形でストレス解消、ガス抜きをされているかというと、この居酒屋甲子園なんです。その風景は異様としか言いようがありません。

「オリエンタルランド事件」と「居酒屋甲子園」は正反対に見えるが実は同じ

白井　私が注目したのは、ここでキーワードになっている「仲間」や「みんな」、それこそ「絆」です。先ほどのオリエンタルランドの話と一見すごく対照的で、180度正反対に見えます。そこでは「絆」を意味する言葉が連呼されているのですが、「実は正反対に見えて、同じことが起こっているのではないか?」と直感的に思いました。

結局、「仲間だ」と絶叫して一種のカタルシスを得ることによって、低賃金から目を逸らされている。単に低賃金できつい労働でしかないものが、「この仕事に自分たちは誇りを持ってやっているし、一緒に働く仲間がいることによって、かけがえのない経験をしている。充実した人生を送っている」と思い込むよう仕向けられている。

実際に、そう思っていなければやっていられない現実があると思います。マルクスは、宗教について「宗教は民衆のアヘンである」と言いました。言わんとすることは、単に宗教が悪いということではない。アヘンを必要とするような民衆の悲惨な生活があるということです。

高瀬　労働環境、あるいは資本が追い込んでいる状況ですね。

白井　それこそが最も批判されるべきだということです。だから居酒屋甲子園は一種のアヘンだと思います。

高瀬　アヘンという言葉だけを取り上げられて、反共主義者はマルクスが宗教を否定しているという説をぶちます。そういう話ではなく、もっと深い意味があるのですね。

白井　低賃金の償いとなるものとして、団結、絆、仲間意識のようなものを、労働者たちは商品として買っているということではないでしょうか。

第三者的に見れば、よくできた構図です。そのイベントで労働者側は満足を得て、その満足が仲間意識、団結をより高める。さらに参加してよかったといったポジティブな感情を持てる「買い物」です。しかし、その商品はどうやって、いつ買ったのか。商品代は、賃金から天引きされていて非常に高い。賃金はそのぶん、安いわけです。

本来、労働者の団結、絆、友情などは、自然発生的に労働者自身のあいだで内発的に生じるべきものです。仕事のやりがいもそうです。ですが、それが見出しがたいという状況下においては、資本が売ってくれるわけです。

高瀬　「やりがいが得られますよ」というような甘言が、今、この社会にあふれているような気がしますね。

白井　まさに「やりがい搾取」ですね。

高瀬　ダイレクトな言葉ではないかもしれませんが、「この仕事に就けば」といったことを言っている。ですが、そもそもそれはおかしな話です。

白井　先ほどのオリエンタルランドの件も、典型的なやりがい搾取が生じやすい職場で起こった事件です。ミッキーマウスなどのぬいぐるみを着ていろいろなショーやパレードを行ったり、お客さんと交流する仕事というのは、実は相当な専門職のはずなのに、賃金が安いわけです。やりたい奴はいくらでもいるという理屈で、低賃金に甘んじさせられている。やっている当人たちは、この仕事がすごく好きだから、それを進んで受け入れてしまうのです。

高瀬　思い込まされているところもあるし、思い込みたいということもあるのかもしれません。「お客さまに喜ばれている」と、自分に生きがいを無理やり与えているような、痛々しさを感じます。

白井　オリエンタルランドの事件にはたくさんの側面がありますが、原告になった被害者が裁判が終わった後に記者会見をして、「このことで、ディズニーランドの夢みたいなものが壊れてしまうのは、非常に不本意である。あくまで夢の国であってほしいと思ったからこそ、私はこういう訴訟をした」とコメントしています。被害者に同情はしますが、そういったコメントには正直なところ非常に違和感があります。

高瀬　まさに「夢を売っているディズニーランドを否定するものではない」ということ自体が、資本に包摂されているということですね。

白井　はい。そのディズニーランドの夢というものと、この人が受けた被害につながりがあるのではないか、という発想がこのコメントにはまったくないのです。これだけつらい目に遭ったのに、そこで何か気づきは起きなかったのか、と感じてしまいます。先ほどの居酒屋甲子園とのアナロジーで言えば、労働と消費が一体化していて、労働しているまさにそのときに、消費者として夢を買っているのではないか、低賃金はその結果ではないかということです。包摂の最新段階においては、労働と消費が混然一体化するということが起きる。

労働者を消費者としても扱う「フォーディズム」の発想

高瀬　この女性もディズニーランドという夢の中に包摂されているから、その包摂を破る気はまったくないし、そういう発想自体が出てこないところに何か違和感があります。この包み込み、圧迫するという包摂の概念はどのようにして生まれてきたのか。

「フォーディズム」という言葉があります。アメリカのフォードという有名な自動車会社が導入した「労働者大衆に購買力を与えることで利潤を上げる」という考え方です。それまで、労働者は搾取されていましたが、購買力を与えることで利潤を上げようと、商品を安くして、労働者には比較的高い賃金を支払っていく。その代わりに、労働者が会社に従順であることを求める。そして、労働者の全生活を資本のもとへ実質的に包摂していく。これがフォーディズムです。

白井 フォーディズムは、マルクスが亡くなった後、20世紀半ば以降の資本主義のあり方を指す言葉として、非常に大切な概念だと思います。それ以前の19世紀的資本主義は、資本は労働者から搾り取れるだけ絞ることしか考えていなかった。できるだけたくさん商品を作って、作り手である労働者に対してはできるだけ少ない賃金しか払わない。人件費を最少にする。たくさん作ってたくさん売れれば大いに儲かる。単体の資本で見れば最も合理的なやり方です。

ところが、すべての資本家がそのように振る舞うと、極端にいえば資本主義が崩壊します。たくさん商品を作っても、作っただけでは価値は実現していない。売れなければならないわけです。買い手はどこにいるのかというと、資本主義化が進んでいけばいくほど、人口で一番多いのは賃金労働者だということになります。この賃金労働者大衆は、最低限の賃金しかもらっていません。つまり、購買力がほとんどないわけです。これがいわゆる有効需要の不足といわれる状況です。

高瀬 1社としては成功するけれど全体のマーケットとしては疲弊する。

白井 どの資本家も商品が売れなくなって倒産するという悲惨なことになる。だから、国内マーケットは大衆の購買力が低くて狭いので、マーケットを空間的に広げたいということになります。そこで、資本家は国家に働きかけて帝国主義政策を要求する。

こうして列強諸国、日本もそこに参入して領土拡張を図っていく。当然、地表の面積は有限ですから、空間の取り合いになって激突する。第一次世界大戦と第二次世界大戦の本質はそこです。

第二次世界大戦後、「これではいけない」というコンセンサスができる。有効需要が不足していることが帝国主義戦争をもたらすのであれば、有効需要を国内で作り出さなくてはならない。その考え方に最初に到達したのがアメリカであり、自動車メーカーのビッグ3の一つであるフォードだったということです。

自動車を買うには相対的に高い賃金が必要だということで、ひたすら労働者を絞るのではなく、同時に消費者とみなした。これによって自動車は普通の勤労者が買えるものになり、大衆商品になった。

高瀬　消費者が登場してくる。その代わり、労働者には「お前ら従順にやれよ」というところを条件のようにつけるわけですね。

白井　このフォーディズム的な考え方が、第二次世界大戦後に先進資本主義国に広まっていきました。日本の高度成長期では、「三種の神器」、冷蔵庫、洗濯機、白黒テレビを大量に生産して、大量に買わせた。こうして耐久消費財を軸として、経済が成長するサイクルができた。このことは本当に私たちの生活を激変させました。

よく、スマホは生活必需品だと言われますが、スマホがなくても生活はできます。ですが、洗濯機や冷蔵庫がなかったらきつい。

高瀬　必需品といわれているものはなくてもいいんですね。生存にはあまり関係がない。

白井　まさに、フォーディズム的発展のプロセスです。かつてだったら王侯貴族しか享受できない物質的生活レベルに、一般庶民の生活が追いついたということですが、実はそれだけではないというのが肝心の話です。

19世紀の労働者は、資本家にとっては単に使い捨てる対象でしかなかった。逆に労働者も、会社、資本家に対して何も期待していなかった。愛社精神など持ちようもない。つまり、お互いに「知ったことではない」ということになるわけです。

ところが、フォーディズム時代になってくると、資本家としては相対的に高い賃金を払うことで、労働者が定着することを促すわけです。労働者からすれば、安定を得ることができる。持ち家を持つという事象も、まさにフォーディズムで起きたことです。

高瀬　その代わり借金をする。「30年勤められますから、ローンで5000万円の家を買いましょう」とローンを組む。それは会社に長く勤められるからこそできることで、そこから会社に対する忠誠心が自ずと発生する。安定を保証してもらってみんなで家をつくった。日本の企業の業績が伸びたのは昭和30年代から50年代。マイホームブームと重なります。

白井　ついでに言うと、アメリカでは、冷戦真っ只中に持ち家政策を採っていくわけですが、持ち家政策は実は反共政策の一部です。「持ち家を持つ労働者は共産主義者にはならない」というアメリカの不動産開発業者の有名な言葉があります。

高瀬　資本主義が続かないと自分も持ち家もなくなるから、自ずと従順になっていく。

白井　ほかにもフォード社が行った従業員の素行調査は、非常に極端で有名です。素行に問題のある労働者は働きにも問題がある、あるいは問題が出てくるだろうということで、仕事が終わった後に深酒をして飲んだくれて喧嘩をするような奴はつまみ出さねばならんと、私立探偵まで使って監視をしていた。

高瀬　このサイクルで、分厚い層の消費者が生まれて、消費が拡大していく。その消費はさらに拡大させなければいけない。ある頃から、「消費資本主義」という言い方が出てきました。結局、原点はこのフォーディズムにあったということですね。

白井　マルクスが定義したプロレタリアート（賃金労働者階級）は、自らをしばる鎖以外には何も持たぬ者、持てない者でしたが、フォーディズム以降、労働者階級は失う物を持ち始める。労働者階級は豊かさを実感できるようになりましたが、何事もプラスの面だけではありません。

失う物を持つようになった労働者は、深く包摂されることになります。もちろん、賃金労働者になった時点で、資本の包摂は受けています。逆に包摂されていない状態とはどういうものかといえば、自分が生きていくために、自分自身で生産して、生産量を決め、売る物をつくることができる状態を指します。自分で全部決めることができる状況は、包摂されていない。資本家のもとへ行って自分の労働力を売って、それで生計を立てる状態は包摂されているといえる。

高瀬　賃金労働ということですね。これが当たり前になって、我々労働者はいい給料を払う会社、安定した会社に入れることを考える。

白井　マルクスのすごいところは、包摂には無数の度合いがあると指摘したことです。最初は、単に資本家に指図されて、いやいや工場で働かされる状態です。ですから、できるだけダラダラしよう、監視人が見てないときにはサボってしまおうということになります。ですが、だんだん労働者の態度は変わってきます。

高瀬　「いい給料を出す」と言われたら、会社のことを考え始めますよね。

白井　自ら進んで働くようになってきます。それで豊かになったのがフォーディズムの時代だったわけですが、フォーディズムの時代が終わってしまった現代では、一生懸命働いても報われないというのが普通になってきました。

高瀬　平成になってから、日本の成長は完全に止まってしまった。フォーディズムでやってきたが、通じなくなってくる。

白井　本来であれば、そこで「おかしいじゃないか」という話になると思いきや、居酒屋甲子園で絆などと叫んで何とかなってしまっているというおかしな状況です。

『コンビニ人間』の主人公の姿はまさに包摂の極致

高瀬　白井さんはある雑誌の記事で、小説『コンビニ人間』（文藝春秋）について書いています。『コンビニ人間』は芥川賞を取った村田沙耶香さんの作品で、現代の行き詰まった資本主義がいよいよ人間を包摂して、内面まで変えられてしまった人間が描かれているのではないかと分析されています。

白井　この作品は18年間ずっとコンビニでアルバイトをしている女性が主人公で、この人は子どものときから他者や人間になじめない違和感をずっと持っている。そんな彼女が大学生のときにコンビニでアルバイトを始め、「ここここそが私の居場所だ」と思うわけです。

どうしてそこまで思えたのかというと、コンビニの接客業務はものすごく精緻にマニュアル化されているわけです。いわば労働者に部品であることを強制するシステムで、もともとフォードの工場からきている原理です。

「T型フォードが、なぜ大衆商品になれたのか。安かったからだ。なぜ安かったのか。ベルトコンベア式の効率的な流れ作業で車をつくっていく革新的な生産方法を編み出したからだ。労働者は職人的な要素をどんどん失って、ひたすら同じ作業をこなすだけになる。機械化された工場において、人間は機械の一部になっていく」

高瀬　これは、工学者のフレデリック・テイラーが提唱した「テイラー主義」ですね。「科学的管理法」とも呼ばれ、工場労働者の身体の動きを科学的に管理する。労働者は、工場で稼働する機械の動きに一体化せよということです。

白井　当然ながらこの手法は人間に苦痛をもたらすわけです。そのことを痛烈に批判したのが、チャーリー・チャップリンの映画『モダンタイムス』でした。

高瀬　もう一つ、「トヨティズム」がありますが、これもテイラー主義とつながります。トヨタ自動車の「カイゼン」という言葉は、一時期、ものすごく流行しました。経営者だけでなく、末端の労働者までもが職場での生産性の絶えざる向上の可能性を気にかけ、方策を提言するということを言っています。

白井　テイラー主義の進化版ですね。

高瀬　『コンビニ人間』は1ページ目からすごい。1行目に「コンビニエンスストアは、音で満ちている」とあって、数行後に「売り場のペットボトルが一つ売れ、代わりに奥にあるペットボトルがローラーで流れてくるカラララ、という小さい音に顔をあげる。冷えた飲み物を最後にとってレジに向かうお客が多いため、その音に反応して身体が勝手に動くのだ」と。

つまりこの人は、耳が全部の音に反応して、体が次に何をすればいいか自然に覚えている。プロ中のプロの動きをするわけです。「私はまさにコンビニそのものである」というようなことを言っている。

白井　「お前たちは機械になれ」「機械の部品になれ」と言われ、「そんな苦しいことをやっていられるか」とテイラー主義は、労働者から激しい反発を受けました。テイラーは「苦しいだろうが、見返りがある」と言った。その見返りとは、「みんなで苦痛を我慢して、一生懸命、効率的に働けば、その企業は生産性が向上し、利潤が伸びる。そうすれば、あなたたちの給料は高くなる」ということです。

この論理は製造業から始まりました。しかし、今や資本主義は産業構造の転換が起こって、第二次産業ではなく第三次産業のほうがセクターとして大きい。つまり、対人サービスなどで取り引きされているお金の量のほうが多いわけです。そこでテイラー主義の論理は、小売業などにも入ってきます。

高瀬　対人関係があまり上手くない女性の主人公がいろいろと道を探る中で、コンビニのアルバイトがピッタリとはまる。マニュアル通りに動ける、人間関係をあまり気にせずに働ける、非常に居心地がいい職場としてコンビニが描かれています。しかし、それは本当はどういうことなのかを問いかけているように思います。

白井　あらすじを追えば、主人公はひょんなことから普通の感覚を得ようと思い立って、コンビニを辞めます。しかし、コンビニを辞めたら完全に無気力になって、動けなくなる。最後には、「自分はコンビニ人間なんだ」という悟りを得てコンビニに戻ります。女性は、コンビニの声が聞こえてくるというようなことを言い、コンビニが彼女にとっての神になる。彼女は、こうやって自分の幸せを再発見するのですが、同時にこのとき彼女は明らかに発狂しています。

高瀬 30歳半ばになってもアルバイトしかしていない、恋愛経験もない、もちろん子どももいない。「それはちょっと普通じゃないよね」という目で友人たちも周囲も家族も彼女を見てきて、普通というものを押し付けてきます。

では、普通とは何か。普通を言い続ける人たちも相当に変な痩せ細った価値観しかない。結局、普通とは資本主義社会の中に包摂されてしまっている価値観だという印象を受けました。

白井 彼女はおかしくなっていくんですが、彼女を狂わせる側も気づいていないと感じます。

時代の流れを意識して考えるとすれば、普通を押し付けてくる周囲は、言うなればフォーディズム的発展の時代における幸福像、家族像を信じている。『サザエさん』のような、今日では明らかに成り立ちそうにない家族像が、未だにイデオロギーとして強力で、「これが幸せである」と突きつけてきます。

高瀬 『コンビニ人間』という本の中には、狂気が描かれていると思いました。コンビニは我々が日常的に使っていますが、よく考えるといろいろなものが含まれている。ちょっとゾクッとする小説です。マルクスの言う『資本論』の話が展開されているのです。

白井 『コンビニ人間』に対する解釈はいろいろあると思います。私としては、サービス産業にまで浸透したテイラー主義を感じますし、部品になることは本来苦痛であったはずなのに、幸福として受け止める人間が現れる状況が今の社会にはある。包摂の極致ともいえますが、その幸福は本当の幸福なのですか、と問いかけている。

高瀬　本人は狂ったことがわからない。ここも恐ろしいところです。

生産性向上の競争に労働者を自発的に参加させるトヨティズム

高瀬　ここで、『資本論』の理論に触れたいと思います。トヨタ自動車の「カイゼン」では、生産性を上げるために方策を提言していくこと自体が「相対的剰余価値」の獲得運動に巻き込まれるだけではなく、主体的に自ら関わっていることを意味している。ここに出てくる「相対的剰余価値」というキーワードについて、どう説明しますか？

白井　まず、剰余価値という概念があります。これは、資本がどうやって資本たり得るかという話です。財布に2万円入っています。この2万円は資本かというと、ただのお金です。増えなければ、資本ではありません。例えば100万円で何かを買って、それを150万円で売却したら50万円増えます。この増えた分が剰余価値です。こういう具合に価値の増殖運動そのものが資本です。

ですが、100万円で何かを買ってそれを150万円で誰かに売る行為は、基本的にはできないことです。100万円で売られていることが自明のものを、誰が150万円で買うかという話で、これを可能にするには、何らかの差異、付加価値が必要です。

高瀬　少し極端に言うと、Aというところでは100万円ですが、Bに持っていけば150万で売れるということですね。

白井　歴史を遡ってみれば、遠隔地貿易などはその典型です。要するに、あちらでは高いがこちらでは安いものを積み込んで行って高く売り、逆にあちらでは安いがこちらでは高い物を積み込んで帰ってきて売る。これが巨大な富をもたらした。

高瀬　大航海時代が世界的に始まっていく契機ですね。

白井　価値増殖を求めて遠くまで乗り出して行ったわけですね。何に高い価値が置かれ、何が低い価値なのかは場所によって異なる。その空間的差異によって剰余価値が発生します。

時間的差異もあります。金融業を考えるとわかりやすいですが、お金を借りたら利子をつけて返さなければいけません。私が高瀬さんから100万円借りたとして1年後に150万円にして返す。これは、私が今欲しいけれども持っていない100万円を、1年後に私が得るであろう150万円と交換するということです。高瀬さんから見れば、時間的差異で100万円が150万円に増える。

マルクスは、何かを生産してそれを売るという典型的な産業資本の経済活動において、どうやって剰余価値が発生しているのか、非常に精緻な分析をしていた。重要なのは、商品の価値がどうやって決まるかというと、原材料や生産するための工場を建てるのにかかったコスト、いわゆる減価償却費はそのまま商品価値に転嫁されるだけで、プラスもマイナスも起きません。価値は増えもしないし減りもしない。

では、なぜ資本家は商品を生産して儲けることができるのか。残る儲けの源泉は労働価値しかないわけです。簡単にいえば、労働者に月給を50万円支払うとすると、その労働者が一カ月に少なくとも50万円以上の価値を生産しないと、企業にとって雇う意味がない。60万円分の価値を生産してくれれば、差額の10万円が剰余価値となります。

高瀬　この剰余価値を上げていくために、どうやってカイゼンするか。1時間で稼げるお金をもっと上げるために、労働者は貢献をします。しかし、「お前たちはもっと厳しい働き方で同じ価値を生むんだよ」ということを突きつけられることになる。

白井　マルクスは、剰余価値をさらに「絶対的剰余価値」と「相対的剰余価値」に分類しています。絶対的剰余価値はすごく野蛮な話で、労働者に寝る時間も与えず、長時間働かせると資本が儲けを増やせるという話です。

ただ、このやり方には当然限界があります。では、どうやったら剰余価値を増やせるか。ここで、相対的剰余価値の話が出てきます。相対的剰余価値とは、生産性を上げることによって獲得できる剰余価値です。資本は相対的剰余価値をさらに得ようと、生産力を向上させる絶えざる競争を始めます。その競争に労働者を自発的、主体的に参加させるというのがトヨティズムです。

高瀬　資本家側から嫌々巻き込まれていくのではなく、自ら進んで参加するのですね。

白井　資本家が生産力、生産性を向上させると言ったとき、労働強化を意味するわけで、古典的な労働者は嫌だと言います。場合によっては、革新的な生産方法を導入することによって人員がいらなくなり、失業が発生します。このため、19世紀的な労働者は技術革新に対して総じて否定的な姿勢を取りました。これが、古典的な労働者のあり方です。ところが、包摂が進んでいくと、「生産性を上げるのはよいことだ」と労働者も思うようになります。

高瀬　つまり、それが富を生んで自分の給料に跳ね返って、自分の仕事も安定するのだからいいのではないかと考え、自ら賛同していく。

白井　本来、どうやって生産力、生産性を上げるかを考えるのは資本家、経営者の仕事だったのが、「労働者諸君、君たちも考え給え」ということで、進んで考えさせた。これがトヨティズムです。

高瀬　労働者は自分も資本、経営の一部を担っていると、少しいい気持ちになるかもしれませんね。利益を出して、それを分配する側と、もらう側ははっきりと分かれていますが、錯覚を起こされて、いい気持ちになっている可能性はあります。

白井　かつ重要なのは、この過程には、終わりがないことです。生産力の向上といっても、いくら上げてもキリがないのです。なぜなら、ある企業が生産性を上げることに成功したとして、同業他社もすぐに模倣して追いついてくるからです。また、根本的な技術革新など、そうそう起こるものではありません。だから、生産力、生産性の向上を絶えず追求しているというポーズを取ることになります。そこで、みんなでＰＤＣＡサイクル（Ｐｌａｎ〔計画〕、Ｄｏ〔実行〕、Ｃｈｅｃｋ〔測定・評価〕、Ａｃｔｉｏｎ〔対策・改善〕の実行で業務改善に取り組むビジネスワーク）を回そうといった話が出てくるわけです。

高瀬　今やいろいろな場面に資本主義のシステムが入っている。フォーディズムから始まったシステムが現在、ものすごく大きな規模になっています。結局、資本主義とは何かというと、「商品」という言葉が一番重要なのではないでしょうか。

近代的労働者を生んだエンクロージャー

白井　まさに、『資本論』本文の冒頭です。「資本主義的生産様式が支配的である社会の富は、『巨大なる商品集積』として現われ、個々の商品はこの富の成素形態として現われる。したがって、我々の研究は商品の分析をもって始まる」

高瀬　こういう言葉で書かれると、「難しい」と思ってしまいます。もう少しわかりやすくすると、どういうことですか。

白井　大事なのは「富＝商品」ではないとマルクスが言外に言っていることです。富は、私たちにとって役に立つもの一般だと捉えるならば、海辺に釣りに行って魚を釣り、「これは晩のおかずにできる」となったら、これは富です。あるいは、きれいな湧き水が湧いていて、それを汲んで帰ってきて、家で飲む。そのおいしい水も富です。

ですが、これらは商品ではありません。我々の遠い祖先がどんな暮らしをしていたかといえば、狩猟採集生活です。生きている以上、絶対に富はありますが商品はゼロです。

狩猟採集生活から農耕が始まって、次第に商品のようなものが発生してきた。他の共同体とのものやり取りをして、そこから商品が発生してきたといわれていますが、限定的な交易しか行われない状況では、それが生存にかかわるかといえば、そうではない。

商品交換はあってもなくてもいい。あれば面白いからやるけれど、ないからといって死ぬわけではないという状況であれば、資本主義とはほど遠い。江戸時代、すでに商品農作物が大量に作られていたといわれます。その収穫物を市場に商品として売りに出し、換金して得たお金で必要なものを買うという経済行動がかなり広がっていました。考え方によっては資本主義化しているといえますが、マルクスの考え方の基準からすると、本質的な意味ではまだ資本主義になっていません。

どうしてかというと、労働力の商品化ができていないからです。近代資本制社会の労働者は、自分の労働力を商品として資本家に売ることによって生計を立てることになる。日本の場合、この変化は、明治維新以降に非常にわかりやすく出てきます。

高瀬　このあたりの話を、白井さんが面白くお書きになっています。イギリスでは、エンクロージャー、囲い込み運動が15世紀から17世紀にかけて起こり、18世紀後半から19世紀前半に二度起こりました。領主と富農層（地主）が農民から耕地を取り上げて、共有地だった野原とともに柵で囲い込み、羊を飼うための牧場に転換しました。

毛織物の需要が高まったので、農民を追い出して金持ちだけで柵を作り、そこで羊を飼う。それによって農地を追い出され、共有地を失った農民たちは、賃労働で働くしかなくなりました。商品として自分を売ることしかできない。これが、資本主義の発祥だと書いています。

白井　近代的労働者の誕生です。近代的労働者の最初の形態とは何かというと、自給自足的な農村が破壊されて、そこで生きていけなくなった、浮浪状態に置かれた人々です。

高瀬　それが賃労働の発生で、今は「俺は大企業に入る」というところにたどり着いている。

面白かったのは、共有地が誰の土地でもなく、いろいろな人たちがそこで作物を植えたり、木の芽を取ったり、野菜を植えたりして食文化が発展していたのに、エンクロージャーによって、そういった食文化は失われた。白井さんが前に書かれた本の中で、イギリスの食べ物はなぜまずいのかというと、「食文化が壊れたからだ」と書いたエッセイを紹介しています。資本主義の発祥の地であるイギリスで、あまりおいしい食べ物がないということは、エンクロージャーと関わりがあるということですね。

白井　共同体が完膚なきまでに破壊され、食文化の基盤が崩壊してしまった。それ以来、イギリス料理は悲惨なものになったということを経済史の小野塚知二先生が指摘しておられます。

産業資本主義社会が成立し、その前段としてエンクロージャーがあり、大地に根ざして生きていた人たちが大地から切り離された。切り離されて浮浪民化したからこそ、工場で働かせることができるようになった。社会の支配的な富、基本的な富の形態が商品になるのは、こうして労働力が商品化されたときからである、ということになります。

高瀬　労働力は商品で、労働力とはつまり人間なわけですが、その人間が商品を生んでいく。商品が商品を生む社会、つまり人間が商品ですね。

白井　そうして得た賃金でまた人は商品を買って、それを消費して生きていく。

高瀬　大学生の就職活動を見ていると、先輩が後輩に「面接はこうやって受ける」と指導するとき、「君は商品なんだ」という言い方をすることがあります。それは正しいわけですね。

白井　その人は、『資本論』を読んだのでしょうか（笑）。

「資本主義で幸せになれる」というのは大きな勘違い

高瀬　今や、社会主義陣営の総本山、ソビエト連邦もなくなってしまいました。そうすると、資本主義がどんどん拡大するしかない。ＡＩも登場してきました。いよいよマルクスの言う世界がより酷薄、過酷な形で現れてきているのではないかと思います。

資本主義は歴史の発展の一段階で、次は社会主義に発展すると言われましたが、どうもそうはならないのではないかと思う人がたくさんいると思います。白井さんはどう考えますか。

白井　本当に悩ましいところです。斎藤幸平氏などは、いかにしてコモンを復権していくかという論点を強調しています。労働力が商品化されて以来、商品化の傾向は、止めどもなくなりました。万物が商品化される傾向がどんどん強まって、現代に至るわけです。

例えば、フェミニズムの歴史とも関わる問題ですが、女性の社会進出と呼ばれるものは、ひとまず女性も賃金労働者になることを目指した流れです。これは男女平等の一つのあり方ですが、実は資本による包摂という観点から見れば、包摂の深まりだともいえます。

家事を主に担っていた人たちが賃労働に出るとすれば、誰が家事をやるのかということになります。誰かがやらなければいけないので、今度は家事労働商品を買うことになります。

高瀬　保育、子育てもそうですね。多様な育児用品が登場し、支援システムも作られ、女性は外で働きやすくなりました。

白井　それがさらに進むと、妊娠や出産までも購入可能な商品にしてしまおうという発想も出てきます。いわゆる代理母の話ですが、これは多くの場合、貧困な国の女性のお腹を商品にするということです。

こういう具合に、止めどもなく商品化が進んでいます。この状況で、脱商品化してコモンを増やそう、復権させようという考え方は、方向性としては正しいと思われます。商品化の傾向がまずいことに多くの人が気づいて、止めるという強い意志が必要だと思います。

高瀬　商品化をどこまで続けるのか。このまま延々と同じ状態で続くのではなく、より人間を阻害していく、あるいは破壊されるような危険性を帯びている気がします。

白井　人々の社会的意志であり、また政治的意志にもなるべきものを、魂まで包摂されつつある中で立ち上げられるのかということが、私がマルクスを巡って考える一番の主題です。

高瀬　『資本論』は一見難しそうですが、「自分たちの今置かれているこの状況こそが、マルクスが言ったことだ」ということから振り返っていくと、違う目線で読める気がします。

白井　最も強調したいことは、資本は容赦ないということです。世界に流布している罪深い勘違い、最大の勘違いは何かというと、資本主義で私たちは幸せになれるはずだというものです。資本は、人間の幸せには何の関心もなく、ただひたすら増えるだけです。フォーディズムの時代が先進諸国の多くの住民にとってはよき時代だったので、資本主義の発展と人間の幸福増進がだいたいイコールだと思ってしまった。

高瀬　特に日本は、高度経済成長と、戦後の平和の中で一番資本主義がうまくいった国でもあり、幸福を享受してきました。

白井　いくつかの幸運に恵まれた結果として、そうなっただけでしょう。資本はとにかく増えたいだけであり、人間が幸福になろうが不幸になろうが資本にとってはどうでもいいということです。この資本の人間に対する根本的な他者性を明らかにしたことが、マルクスの最大の功績であったと思われます。

いま、言論界に問われる「覚悟」

新右翼・鈴木邦男の
思想と哲学

5

誰であれ分け隔てなく付き合う器の大きさ

高瀬　今回は、2023年1月11日に亡くなられた新右翼の鈴木邦男さんについて話をしたいと思います。同時に、その生き方と時代や社会の変遷が私たちに何を問いかけているのかを考えていきます。

「新右翼」といいますが、これは1960年代後半に左翼の学生運動が高まったことに対抗すべく生まれた政治運動、政治勢力と定義づけられています。

戦後日本の既成の右翼というのは親米反共です。アメリカあっての右翼。日米安全保障条約体制を当然として政治活動していますが、そうではないのが新右翼です。アメリカに対しても物の申す反米反共を標榜しています。日米安保と北方領土問題をもたらしたヤルタ・ポツダム体制の打破を目指すということで、新右翼は真正右翼、既成の右翼は親米右翼と言われることもあり、右翼の中にもスタンスの違いがあります。

白井　反共を根拠に日米安保体制を堅持する既成右翼は、一種のビジネス右翼です。そういう既成右翼の世界に愛想をつかし、あるいはそれらと対立、対決することを通じて出てきたのが、鈴木邦男さんなどを中心とした新右翼なのだろうと私は理解しています。

高瀬　鈴木さんは新右翼と呼ばれていたものの、右も左もなく、有名・無名を問わず、あらゆる人たちと交流をしていました。晩年は、非常にリベラルな言動が目立ち、リベラル・左翼のファンがこれほど多い右翼も珍しかったと感じます。非常に特異な方でした。私は取材で二度ほどお会いしたことがあり、最後にお会いしたのは２０１８年６月でした。取材が終わったあと、「これを君にあげる」とくださったのが『テロル』という本でした。

白井さんは、『憂国論』という本を鈴木さんと一緒に出版されました。どのような感じでしたか。

白井　この本を一緒に残すことができて本当に嬉しく、誇りに思っています。

前書きを私が担当していて、その中で鈴木さんと私が最初に会ったときの思い出を書きました。２０１４年か15年くらいだったと思いますが、『永続敗戦論』を出して、トークショーなどの依頼が出始めたころ、代官山のカフェで鈴木さんとのトークショーの仕事をいただいて、「左翼と右翼の決戦」というタイトルでお目にかかったのが、一緒での初仕事でした。

トークショー自体は、何を話したかよく覚えていませんが、その後の懇親会のことはよく記憶しています。トークショーの日の直前、鈴木さんが自衛隊の元幕僚長だった田母神俊雄さんに会ったという話をしたんです。当時、田母神さんは東京都知事選に出るなど、かなり目立っていたと記憶しますが、私としてはやや排外主義的な言動が目立つところがあって、正直、快く思っていませんでした。

それで懇親会の席で鈴木さんに、「鈴木さんが、いろいろな立場の人と分け隔てなく対話する姿勢を持っていらっしゃることは非常に尊敬していますが、受け入れるべき相手と受け入れるべきではない相手がいると私は思っています。私の見るところ、田母神さんはどうかと思います」と言ったんです。

今から振り返ればずいぶん生意気なことを言ったと思いますが、鈴木さんは「へえ、そうですかねえ。田母神さんは、別に戦争したいなんて全然思っていないと思いますよ。あの人はゴルフが大好きなんですよ。戦争になったら、ゴルフができなくなりますからね」と返されたんです。今思えば、考えれば考えるほど、見事な返しだと思います。

他人の付き合いに対してどうこう言うべきではないし、私の出過ぎた言動だったと今は反省しています。もちろん田母神さんが本当はどういう人なのか、私は会ったこともなくよく知らなかったわけですから。

鈴木さんは「君の知らない一面がある」ということを教えてくれたんですね。この場でそういうこと言うべきじゃないとたしなめられてもおかしくなかった。でも鈴木さんは決してキツい言い方などしなかった。大きさを感じました。よく人物の器と言いますが、その器に呆然とした体験でした。

高瀬　とにかく、どんなボールも受け止めるといった感じです。

白井　かつては武闘派として鳴らしたといわれていますが、私が知り合ったのは、晩年のいわば好々爺化した鈴木さんでした。我が身を振り返り、「こんな歳の取り方ができるだろうか」

と思いました。偲ぶ会で皆さんがおっしゃっていたのは、とにかく社会的に無名な人も有名な人も、誰とでも分け隔てなく付き合っていた、ということです。もちろん、鈴木さん自身も偉ぶることなく、それによってどれだけの人が救われたか。さまざまな事情から生きづらさを抱えていたけれども、鈴木さんの傍らで居場所を見出した人がたくさんいるわけで、そういう意味でもすごい人だと思いました。

高瀬　2023年4月2日、東京都内で「鈴木邦男さんを偲び語る会」が開かれました。生前、鈴木さんと親交があった方々が中心になって、発起人になられたわけですが、田原総一朗さんや佐高信さんなど、皆さんリベラルの陣営です。政治的なスタンスで分けると、リベラルな方との親交が多かったのではないでしょうか。

白井　右翼の人もいますが、いわゆる対米従属派の右翼は一人もいません。

高瀬　列席者のスピーチでは、鈴木さんの人柄が偲ばれました。

白井　本当にそうですね。私は、オウム真理教の松本智津夫（麻原彰晃）死刑囚の娘さんの松本麗華さんのスピーチが印象に残りました

高瀬　私も、聞いていて涙が止まらなかったです。あのような事件を起こした加害者の娘だということで、社会的にものすごくバッシングを受けていたし、偏見もあった。しかし、鈴木さんは何の先入観もなく、きちんと付き合ったそうです。彼女は、鈴木さんという存在に居場所をはっきりと見つけていたんでしょうね。

白井　分け隔てなく、いろいろな多様性を認めると口で言うのは簡単です。鈴木さんは、それを実践するというのはどういうことなのかを見せてくれました。見せつけるというかたちではなく、自然と醸し出すオーラのようなものを通じて、私たちに教えてくれました。

高瀬　松本麗華さんを擁護すれば、今度は「お前は何だ」と鈴木さんに矛先が向かうわけですからね。多様性を認めるといっても、それを実行するとなると自分も火だるまになるかもしれない。そういうことも全部引き受けて、きちんと行動する人でした。

宗教の影響を大きく受けている

高瀬　鈴木邦男さんはどういう方なのか、年を追ってご紹介したいと思います。1943年、福島県生まれ、宗教の「生長の家」の影響を受けて育ちました。仙台で高校生活を送り、東京に出てきて早稲田大学政治経済学部に入学しました。

高校の頃から愛国運動を始めていて、特に大学時代には熱心に運動をしていたそうです。三島由紀夫が1970年に陸上自衛隊の市ヶ谷駐屯地で自決したとき、森田必勝という政治活動家で、三島が結成した「楯の会」の学生部長が一緒に自決をしています。早稲田大学の後輩だった森田の自決は、鈴木さんには大きな痛手だったようです。

鈴木さんの人生を形成した要素、節目がいくつかあり、一つは生長の家を信仰していた家に生まれ育ったことで、宗教の影響を受けていることです。特に、当時は生長の家が愛国運動とつながっていたこともあり、とても感化されたようです。それから民族派学生組織の代表になりますが、更迭されるような形で失敗してしまいます。

もう一つは、三島事件と森田さんの自決です。精神的あるいは思考に大いなる影響を受けたようです。

まず、生長の家の影響です。鈴木さんの心情を考えるうえで、欠かせない要素です。

白井 現在の生長の家は方向性を変えていますが、当時の生長の家は非常に政治化していて、国家主義的な傾向が突出していた時期だった。おそらくそのこともあって、「だいたい、自分は名前からしてそうなる運命にあった」とご自身でもおっしゃっていました。若い時代のことを語る際によく強調していたのは、大学で政治運動などをやろうとすると、当時は圧倒的に左翼の時代で、愛国運動はものすごく旗色が悪い。お話にならないぐらい規模も小さく、疎外感があった。

高瀬 右寄りのことを言うと、大学で左翼学生から殴られたり、投げ飛ばされたりしていたとおっしゃっていました。

鈴木さんの思想の核には、宗教に感化された部分は非常に大きかった。また、宗教のよさとして、みんなを見捨てないという共同体的なものに対するぬくもりを味わっているのではないかという気がします。日本という国、あるいは祖国というもののよさを知って、愛国運動へとつながったのではないでしょうか。

白井　そうですね。その後、一つのターニングポイントになっているのが１９６９年です。鈴木さんは63年に大学に入り、67年に卒業しています。ところが、69年に早稲田の教育学部に転入しています。かなり本格的に運動していたということですね。

民族派学生組織「全国学生自治体連絡協議会」という右派系の組織の代表になるわけですが、わずか1カ月で失脚してしまいます。対立したグループは、後に日本会議の主要メンバーになる。実は、今日の社会にまで影響が及ぶ重要なポイントがここです。

菅野完さんが書いた『日本会議の研究』の中で、このあたりの事情が詳しく綴られています。当時は、左派がキャンパスを仕切る場合が多かったのですが、東京から遠く離れた長崎大学で、例外的にというか、暴力的な手法によってではなく、一生懸命に説得してビラを配るという地道な活動を通して、民族派系の学生が自治会のヘゲモニーを握りました。

そこで、右派系の全国団体を作ろうとしたときに、長崎の人たちとしては、自分たちこそ一番成果をあげていると思っているわけです。ところが、一番目立つ存在は早稲田の鈴木邦男さんで、非常に人気もある。自然的に鈴木さんがリーダーになっていきます。すると、長崎の人たちは面白くない。鈴木さんがなぜ、わずか1カ月で失墜したのか、いろいろな説がありますが、謀略が巡らされたのではないかといわれています。

高瀬　1カ月ですから、完全に外堀を埋められた形です。

白井　何が本当にあったのかは、歴史のブラックボックスになっています。いずれにせよ、ここで現代日本右翼における一大分岐が起きていたということかもしれません。

長崎派が、鈴木さんをまんまと追い出した。この人たちが後々、日本会議のコア部分になって、安倍政権などに対して影響力を持つようになっていきます。追放された鈴木さんは後に一水会を作り、反米の新右翼を形成していきます。日本会議の動きを見ていると、何か陰湿で暗い印象を受けます。

高瀬　確か、ジャーナリストの青木理さんが椛島さん（椛島有三・日本会議事務総長）を取材したときの映像があると思います。日本会議の会合でインタビューをしようとするのですが、まったく質問に答えない。もっと活発にやればいいのに、醸し出す雰囲気が暗く、重い。それは、私も感じました。

白井　その暗さは、鈴木さんの朗らかさのネガのように見えます。経緯からして、日本会議は、鈴木邦男に対するルサンチマンから生まれたと言っても過言ではない。

三島事件と森田必勝の自決が与えた強い衝撃

高瀬　今、一水会の話が出ました。結成までに鈴木さんは１９７０年に仙台に帰って、書店員になっています。一種の都落ちです。その後、人の伝手で産経新聞に入社するため東京に戻りますが、職種は記者ではなくて販売、広告部門でした。

　この時期に、学生時代に早稲田でオルグした森田さんが三島と共に自決します。一方で一緒に活動した仲間たちは、社会人として生きている。左翼の人たちもそうだったわけです。自分たちが引き込んだ人間はまだ戦っていて、しかも若くして自決までした。この衝撃はやはり強かったようです。

白井　この衝撃はおそらく、後の人生の軌道を決めてしまうほどの決定的なことだったのではないかと思います。

『憂国論』の中でも振り返られていますが、三島由紀夫に関しては、鈴木さんやその周囲は割と冷ややかに見ていて、「あんなのは、文士のスタンドプレー」とややバカにしていたところがありました。しかし、三島事件が起きて、とんでもない間違いだったと気づかされます。一水会の人たちが一様に強調するのは、「三島以上に森田だった」という点です。

　確かに、三島由紀夫は年かさで、行動を起こすのであれば先頭に立って命をなげうつのは当然だろう。そのとき、ただ一人、最期の同志として連れて行ったのが森田必勝だった。しかも、森田必勝は鈴木さんが自ら運動に引き入れた人だった。死に遅れたという気持ち、負い目をどのように返したらいいのか、ということから一水会の運動は始まったようです。

高瀬 一水会が設立されたのは1972年、連合赤軍事件が起きた年です。そして、74年に防衛庁に抗議、乱入して逮捕されます。産経新聞に身を置いていた鈴木さんは逮捕されて産経新聞を解雇され、一水会に専従します。その74年に、三菱重工爆破事件が起きました。これは、東アジア反日武装戦線が爆弾を仕掛けた凄まじい事件でした。

連合赤軍事件で、ほぼ左翼は終わったはずだと多くの人は思っていたのですが、過激派がこのような事件を起こしてしまった。私は当時大学生でしたが、あまりにも庶民感情から遊離していて理解できませんでした。

白井 東アジア反日武装戦線の連続テロは、近現代日本における、とても重要な事件だと私は思うのです。特に三菱重工のビル爆破はとんでもなく大きな事件で、オウム真理教のサリンによるテロが起きるまで、日本で最も多くの人を殺したテロ事件でした。あの時代を振り返るときに、決まって東大安田講堂と並んで連合赤軍事件も言及されます。それに比べ、東アジア反日武装戦線の事件は、あまり言及されないというアンバランスさがあります。

私は『国体論』という本を書く際に、この事件の重要性を強調しました。そのとき参考になったのが、鈴木さんの『テロ　東アジア反日武装戦線と赤報隊』（彩流社）です。序文に「この本は『腹腹時計と狼』のタイトルで、今から13年前の昭和50年10月に三一書房から出版されたものを改題し、赤報隊事件などを増補した新装版である」と書かれています。鈴木さんの有名なデビュー作『腹腹時計と狼』を読もうと思ったら、この本を買えばいいわけです。

内在理解しようとしているすごさ

白井　この本のすごさはいくつかありますが、まず、テロリストを内在理解しようとしているということです。誰かが何かをした。なぜそうしたんだろう。その何かをしたという行動が、普通の行動や称賛される行動であればいいですが、非難されるべき行動をなぜやったのだろうかというとき、我々の社会はそれを理解することが困難な場合が多い。

最近のわかりやすい例でいえば、ロシアとウクライナの紛争です。なぜロシアはあんなことをしたのだろうかという大きな疑問が常にあります。専門家が「このような要因、経緯があって、ロシア人やロシアの政治家がこう考え、感じて、こういう行動に出た」と説明するだけで、「お前はロシアを擁護するのか」という非難を受けることがあります。

難しいのは、理解と同情には近しいところがあるわけです。理解を絶する絶対悪であると決めつけてしまえば、同情はゼロです。それに対してバッシングすればいいという話になるわけですが、それでは同じような不幸が起こることを防げず、起きてしまった不幸な出来事から学ぶこともできません。冷静に考えれば、この道理は誰でも当たり前にわかると思います。

しかし、実際に苦しんでいる人の姿、たとえば人が砲弾で撃たれた姿を見せつけられれば、当然、人は感情を揺さぶられます。同情などお話にならない、理解する必要もないと遮断してしまう。理解するには、理解する対象側の視点に立たなければならない。対象者の視点を自分で咀嚼してみなくてはならないので、同情に近い感情が湧くことがある。高瀬さんは当時、東アジア反日武装戦線のテロを目撃して、戸惑いを感じたとおっしゃっていましたが、非難は凄まじかったと思います。

高瀬　ケガをして人が倒れ、血まみれになっていて、瓦礫が散乱している……。写真で見ただけでも、「これはもう誰が見ても許せない」と思うんです。

ただ、「ちょっと待て。こういうことをなぜするのか」と立ち止まって考えなくてはいけない。この視点は、リベラルの視線とも言えるし、方法論があると思うんです。

保守的な人たちは、「人間はこんなふうになってはいけない」と決めつけるかもしれないですが、リベラル派はだからこそ「いや、ちょっと待て。こういうことを起こさないためにも、考えなければいけない」という姿勢を持ちます。鈴木さんは、その視点を持つ人だったと感じています。

白井　この事件の衝撃は、死傷した人たちのほぼ全員が一般市民、三菱重工の社員、そのときにたまたま届け物にきていた配送業者の人たちなどだったことです。ですから、事件に対する社会的非難は凄まじいものがありました。鈴木さんは、この本の中で、「皆、『あの犯人は狂っている』と決めつけている」と書いていますが、それではダメじゃないかと説きます。「何であそこまでのことをやってしまったのかを、彼らの内在論理に従って考えていかなければいけない」という姿勢で書かれています。これが、当時の言論状況の中でどれほど勇気のいることだったかと考えたら、すごいことですよね。

最近では、山上徹也被告による安倍晋三さんの暗殺事件が起きたわけですが、山上の立場に内在して考えてみるといった言説の構築は大変困難になっています。

高瀬　統一教会によって家族が破壊されてしまい、それに対する苦労が明らかになったので、山上に対して同情的な意見や思想を読み解くといった話が多少は出ています。その背景が報道されなければ、おそらく徹底的に「安倍を殺した奴」と叩かれているでしょう。

白井　今後、法廷で動機に関する証言がどうなるのかまだわからないですが、この事件を政治的な事件と捉えられるのかどうかということがポイントでしょう。

これまでの山上被告は、ずっと「自分の動機に政治性はない」と言っていますが、果たしてその考えが今後も持続するのか。いくら個人的な恨みだといっても、殺した相手が相手ですから、不可避的に政治的意味を持ってしまいます。そのことを被告自身がどう考えていくかによって、この証言は変わり得ます。

高瀬　そうですね。法廷が今後どうなるか。

白井　そのときに、言論人がどう反応するのか。鈴木邦男さんの事績を偲びつつ、私も含め、非常に身が引き締まるようなことだなと思われます。

高瀬　まさに、理想は語れるけれど行動としてできるのか、というところです。

最期まで「何をすればいいのか」と苦悩していた

高瀬　先ほど紹介した『テロル』という本で鈴木さんは、1975年に出した『腹々時計と〈狼〉』について書いているところがある。それによると、戦前、戦中、日本はアジアを侵略した。今度は経済侵略だ。それに反省を求めるべく、アジアに進出していた日本企業がデモをかけられ、あるいは襲われた。その闘いを日本でやったのが「東アジア反日武装戦線」の〈狼〉であり、〈大地の牙〉や〈蠍〉だった。「そのことを書いた本が僕のデビュー作だ」と書いています。その後の鈴木さんを見たとき、「最初に書いた本には、その著者のすべてが入っている」という言葉が当てはまっていると感じざるを得ません。

この本に、「彼らは都市に溶け込み、全く目立たない。爆弾を作り、それを企業に仕掛けた都市ゲリラでありテロリストだ。だから世間の目につかないようにする。左翼と付き合いはしない。デモに参加したりもしない。会社では労働組合にも入らない。彼らと付き合っていたら目立って仕方がない。警察に目をつけられる。まさに同志の間に往来の用はない。死の叫び声だ」と書いています。

「死の叫び声」というのは、昭和初期に安田財閥の祖である安田善次郎を殺したテロリストとされている朝日平吾が書いた文章（『死ノ叫声』）です。この文章があまりにすごいので、「北一輝が書いたのではないか」と言われていましたが、その後、政治学者の中島岳志さんが「これはやはり朝日平吾が書いたものだ」と著し（『朝日平吾の鬱屈』筑摩書房）、18年に鈴木さんが中島さんに会ったときに、「あれをよく見つけた、よくそういうふうに検証した」と話していました。

『死ノ叫声』には、「最後ニ予ノ盟友ニ遺ス、卿等予ガ平素ノ主義ヲ体シ語ラズ騒ガズ表サズ黙々ノ裡ニ只ダ刺セ、只ダ衝ケ、只ダ切レ、只ダ放テ、而シテ同志ノ間往来ノ要ナク結束ノ要ナシ、……」と書かれています。鈴木さんは、右派とされるテロリストの朝日平吾と左翼の東アジア反日武装戦線の心情が同じだというところに共鳴していたと感じます。

白井　東アジア反日武装戦線の起こした事件は、基本的に左翼からも徹底的に批判されます。いわゆる既成左翼はもちろん、新左翼系からも「あんなのと一緒にしてもらっては困る」ということになりますし、反日武装戦線自らが「自分たちは旧左翼であれ新左翼であれ、あんな連中はうんざりだ」と完全に決別していて、一切の同志的関係を認めようとしていませんでした。

鈴木さんは、その覚悟の潔さにものすごい衝撃を受けています。いろいろ言っても左翼系、左翼陣営はだいたい仲間なのだから、といった義理や人情を全部断ち切って、行動へと踏み出していった。そのことに対する慄《おのの》きですね。

70年に三島事件が起きて、「のうのうと暮らしていていいのか」という煩悶の中で、もう一度、運動を立ち上げて一水会を結成し、「自分たちは再結集、再起するが、では何をやるんだ、何をしなければいけないんだ」と悩みます。防衛庁に抗議、乱入し、逮捕されたこともありますが、おそらくは何をするべきか暗中模索する中で出た行動だったのではないかと推測します。

鈴木さんは、最期に至るまで苦悩の中にいたのではないかという気がします。一水会は毎年、三島の命日、憂国忌に集まります。そこでは、「三島烈士と森田烈士はああやって筋を通して逝った。残された我々は何をしたらいいんだ」ということが、苦悩の中で語られる。ある年に出た提案は「毎年1人ずつ腹を切ればいいのではないか」だったそうです。これはちょっと理解に苦しむのですが(笑)。

高瀬　死をもって何かを示すということに、美学なり達成感を見出している可能性があります。

白井　しかし、それは三島事件の二番煎じ、三番煎じにしかならないことは明らかです。

高瀬　「変わった人たちがまた死んだぞ」ということですね。三島由紀夫の同級生たちは戦争で死んでいきましたが、三島は徴兵されず、戦争で死ねなかった。死に場所を探していたのではないかという推測もあります。

そうして70年に三島は死んだ。それを見ていた右翼の面々が「今度は自分たちも」と考えた。右派の活動には、常に死がつきまといますね。

白井　東アジア反日武装戦線に対しては、左派にもこういう形で完全に命を捨てる覚悟の人々がいることに強い衝撃を受けたのかもしれません。ますます「いったい何をすればいいんだ」と鈴木さんの苦悩を深めたかもしれません。

実行することから言論活動へシフト

高瀬　鈴木さんは一水会を作って活動を始めますが、そこで右翼のダメさ加減を思い知った。あまりにひどい考え方、行動をする人もいると知り、右派だけに凝り固まらず、いろいろな人と付き合おうと考えた。ここが大きな節目、転換になります。このあたりから、鈴木さんは実行よりも、言論活動へ動いていきます。

白井　１９９０年代ぐらいでしょうか。

高瀬　90年に朝生（テレビ朝日系「朝まで生テレビ」）に出演、リベラルと右翼陣の激突で大反響を起こします。その後、『週刊ＳＰＡ！』で「夕刻のコペルニクス」の連載を始めます。「右翼なのに共感できる人」という鈴木さんの存在感が、徐々にこちらにも伝わってきました。

２０００年ぐらいからは、リベラル派の人たちとほぼ同じような行動、発言をし、反戦集会やデモに参加したり、開戦前のイラクを訪問します。

白井　北朝鮮にも何度か訪問しました。

高瀬　新左翼活動家で元赤軍派議長の塩見孝也さんが「赤軍派獄中30年」という旗を立てて市議選に出たときには、応援に行っています。鈴木さんは新右翼で、塩見さんは赤軍派ですから、もはや右も左もない。

白井　これは推測ですが、１９６０年代から70年代にかけての政治の時代を、塩見さんも鈴木さんもまさに主役級として通過しているわけで、そこに同志的感情が生まれたのではないかと思います。

高瀬　そうして、次第に鈴木さんの存在が大きくなりますが、やはり天皇には尊崇の気持ちをずっと持ち続けていたようです。

白井　ただし鈴木さんは、尊王精神を押し付けようとしなかったし、「むしろ天皇批判や天皇制廃止の言論もある世界が健全である」とたびたび強調していました。反天皇制の人も、鈴木邦男さんが自分の好み、趣味で天皇を尊崇することを尊重しなければいけない。

高瀬　いろいろな意見があっていいということですね。ただ、天皇の政治的利用には警戒していたし、元首化にも反対していました。元首化を望むような安倍政権に対して、懐疑的なところがあった。今の自民党政権に反対の姿勢を持つなど、左右がねじれていく様子が面白いのですが、やはり最後まで右派の心情を持ち続けた人だった。

白井　民族派ということですね。一水会もそう自己規定しているので、この言葉が一番正確なのかなと思います。ただし、民族という言葉も実はあいまいな言葉で、どう定義するのかが難しいところです。下手すると排外的なエスニックナショナリズムになります。

純粋な日本民族が偉いという話になりかねないですが、鈴木さんが言ったような民族主義は、そのような排他的なものではなかったと言っておかなければならないですね。それは、彼自身の交友関係に証明されています。

高瀬　あれだけの人数の左派、リベラル派が偲ぶ会を開いているわけですから。『愛国者に気をつけろ！鈴木邦男』（２０２０年公開）という映画が２０２３年４月から東京を中心に再上映されました。パンフレットに「鈴木邦男は歩く民主主義である」と書いてあります。確かに、鈴木さんのような右派あるいは民族派がいてもらえれば、話がしやすい。言論で勝負するとなると、右翼も左翼も面白いと思います。

白井　民主主義、あるいはどちらかというと自由主義だと思いますが、自由を実効的に担保しなければ、社会は不健全になってしまうということへの意識は、強いものがありました。おそらく、それが一番現れたのが映画『ザ・コーヴ』（２００９年公開）の上映反対運動の一件だったと思います。

２００６年に、和歌山県太地町のイルカの追い込み漁が非人道的であるとみなした欧米のグループがドキュメンタリー映画『ザ・コーヴ』を作りました。それに対して、主に右派の人たちが、日本人を貶めようとする、あるいは日本文化を劣等視した差別的な映画であるとして上映に反対し、映画館に向かって抗議行動を起こしたことがありました。

鈴木さんがどういう立場でこの問題に関与したかというと、「上映を妨害するようなことはやめなさい。この映画の中身について是とするか非とするか、議論はあり得る。けれども、それを観せないようにするのはおかしい。妨害運動をやっている諸君は、そもそも観たうえでけしからんと言っているのか。まずは観たらどうか」と呼びかけました。

この騒動は2010年でしたが、今から思えばキャンセル・カルチャーのはしりでしたね。現在では左右両陣営の常套手段になっています。政治的なプロテストなどに対して、企業などの組織がものすごく脆弱になっている。ちょっとした嫌がらせや脅迫で「触らぬ神に祟りなし」と引っ込めてしまう。

鈴木邦男さんは、「そういうことはあってはならない」と上映妨害の運動をやっている人たちのところに詰め寄って、「話をしようじゃないか」と説得しようとして殴られる事件もありました。

高瀬　死ぬことはできなかった自分だけれど、体を張るところを見せたという感じもしました。

清貧という言葉そのものを生きた人だった

白井　間違いなく、若い頃の鈴木邦男さんは、暴力に対する衝動というか、ものすごく強い感情を抱えていたのだろうと思います。

やはり三島事件にショックを受けて、「何かをやらねばならない。それは何だろう」という懊悩を我々が第三者的に想像すれば、テロ的な行動なのかと思ってしまいます。しかし、そこを堪えた。やっても二番煎じ、三番煎じにしかならず、暴力によるメッセージは有効性を持つのだろうかということにずっと疑問があったからこそ、そこへは踏み込まなかったということです。

高瀬　鈴木さんを見ていて思ったのは、すごく優しい人だということです。けれど、どこか孤独感があったという人もいます。それはやはり、何か言えないことがあったのだと思います。

白井　柔道を長年やっていたことの意味も考えさせられます。暴力への衝動も抱え続けていたし、実際に暴力運用能力を鍛えていた。しかし、『ザ・コーヴ』の事件にあったように、鈴木さんは暴力が自分に向けられることをむしろ選んだ。出血しても、そんなのは笑い話だと受け止めることができるように、自分の体を鍛えていた。

高瀬　鈴木さんがすごいと思うのは、最後まで古いアパートに住んでいたことです。亡くなるときは別の場所でしたが。清貧という言葉そのものをずっと生きた人でした。このあたりも胸を打ちます。

白井　ご自宅は、かの有名なみやま荘です。ある時期まで、鈴木さんの本の奥付には現住所、電話番号が載っていました。

高瀬　すごいですね。鈴木さんの著書が気にくわない奴が押しかけてくる。しかし、逃げずにそれを引き受けるところに覚悟があった。暴力にやられても立ち向かう。死をどこかに張り付けて生きていたのではないかと思います。

白井　現に、お宅は放火されたことがありました。

高瀬　洗濯機が家の中に置けない。それくらいの清貧さです。玄関先かどこかに置いてあった洗濯機に火を付けられ、その火が家の中にまできて、「俺はチャーシューになるかもしれなかった」とおっしゃっていました。あれは、赤報隊との関係の話だったと思います。

白井　この火事の真相は結局よくわからなかったし、公安警察もきちんと調べようとしないとおっしゃっていました。

「国をどう考えるか」という点では、左も右もないことを体現

高瀬　鈴木さんは、赤報隊事件との関係を噂されたことがあります。ですが、最後まで詳しいことは語らず、何かを知っていたかもしれませんが、墓場まで持っていきました。テロを起こすことに対してまったくのNOではなく、鈴木さんなりにいろいろ考えていた。それが、疑われたのかもしれません。

白井　『テロ　東アジア反日武装戦線と赤報隊』（1999年、彩流社）という本は、安倍さんの殺害事件が起きて、新たなる価値を持ち始めていると思います。というのは、赤報隊事件の実行犯は誰だかよくわかっていないのですが、統一教会絡みだという説を唱えている人たちがいます。東アジア反日武装戦線と赤報隊には何の共通点があるのか。鈴木さんは、一つのキーワードを見出していて、それが「反日」ということです。東アジア反日武装戦線はもちろん日本人ですが、反日を名乗る日本人。極左だった。

高瀬　戦中、戦前に日本はアジアを侵略しました。戦後は平和になったと思いきや、今度は経済で侵略していきました。そういう意味で反日ということですね。

白井　大日本帝国の罪をきちんと償わず、またしてもアジアをダシにして豊かになって、のう

のうと生きている。そういう戦後日本人を懲らしめなければならない。目覚めさせなければならない。こういう発想で、大テロ事件起こしたわけです。

戦後の左翼は、共産党など旧左翼も含めて、メインラインは反米愛国だったんです。つまり、かなり真っ直ぐなナショナリズムだった。自分たちのナショナリズムを確立して、戦後の日本を真っ当にしていこうというスタンスがあった。しかし、新左翼が誕生して微妙に変わっていく。戦後日本は自立した帝国主義国家に再びなったと規定した。その最高の形態、最も突出した形態が東アジア反日武装戦線だった。自分たちにとって、日本人はほぼ全員敵でしかないという立場を取った思想が際立っていました。

高瀬　今の社会を見ると、本当にこの国はこのままでいいのか、考えざるを得ない感情が出てきます。日本人だけど、日本を敵と見るような人たちが出てきてもおかしくない。

白井　そういった立場取りを、血債主義といいます。明治以来の日本は、世界に対して植民地支配、そして大東亜戦争という形で多大なる損害、被害を与えた。その血の償いをしなければいけないという考え方で、日本人に対して敵となった。

この思想に対して統一教会はどうかというと、事件が起きてから、統一教会に関するいろいろな情報が注目されてきました。我々は改めて気づかされることがたくさんありますが、統一教会の核心にあるものは、日本への復讐ではないでしょうか。

高瀬　そうですね。そこが一番核心だと思います。

白井　核心は反共ではない。反共とは、朴正煕政権に接近して庇護してもらうための方便だったのでしょう。情勢が変わったら、反共はすぐに捨てられました。

高瀬　変わらないのは、日本から金をぶんどることです。統一教会の被害者である二世問題も重要で、そこにメディアが集中していますが、本筋は日本からの集金です。その統一教会とズブズブの関係になり、選挙活動をやってもらって、票をもらっていたのが政権政党だということ。その議員、その政権党を追い込めないこの国はいったい何なんだ。

白井　自民党こそ、最大の反日団体である。

高瀬　今、その構図を忘れかけているような気がします。

白井　赤報隊事件で鈴木さんが注目したのは、そこでした。犯人グループから手紙がマスコミに届いた際、際立ったキーワードは反日でした。なぜ、朝日新聞を襲ったのか。朝日が反日だから、というわけです。もちろん、赤報隊事件の実行犯と東アジア反日武装戦線はまったく関係がない。赤報隊は右翼テロで、東アジア反日武装戦線は間違いなく左翼系のテロです。しかし、キーワードにおいて左と右の奇妙な一致がある。これが何を意味するのか考えなくてはならないと思っています。

高瀬　晩年の鈴木さんは、「愛国という言葉がおかしくなっているから使わない」と言っていて、「憂国」という言葉を好んでいました。今のところ治安もよくなったなどと言っていますが、この日本という国は一皮剥けば、非常に多くの人たちの苦しみ、悲しみ、怒りがドロドロと渦巻いている。鈴木さんの生きてきた軌跡を見ていると、政治の禍々しさみたいなものが時々顔を出していて、ここを忘れないようにしないと、平和なんて一発で破られるかもしれないと感じます。

鈴木さんの『〈愛国心〉に気をつけろ！』（２０１６年）というブックレットが、左派の牙城といわれる岩波書店から出ています。この中に、三島由紀夫の自決直前の檄が書いてあります。「沖縄返還とは何か？　本土の防衛責任とは何か？　アメリカは眞の日本の自主的軍隊が日本の國土を守ることを喜ばないのは自明である。あと二年の内に自主性を回復せねば、左派のいふ如く、自衛隊は永遠にアメリカの傭兵として終るであらう」

こうやって文字で見ると、今まさにその通りになっています。三島由紀夫が70年に言ったことは、時代を超えて貫ぬかれている。「日本はこれでいいのか」と考え始める人たちも出てくるのではないでしょうか。

白井　そうならないと、この国は滅びる方向へ一直線です。

高瀬　そうすると、左派もいわゆるリベラルも「このままではまずい」と考えているわけです。我々も、ユーチューブチャンネル「デモクラシータイムス」で何度も取り上げています。右派と親和性のあった三島由紀夫もこういうことを言っているとなれば、本当に国をどう考えるのかという一点では、もう左右を考える場合ではないということです。それを鈴木邦男さんは体現していた。ここからも、現状がだんだん見えてくるような気がします。

覚悟があり、感情も豊かで行動力があった

白井　左とも右とも付き合うのは、下手をすれば八方美人だという話になります。ですが、鈴木邦男さんに八方美人だと悪口を言った人は、ほぼいないと思います。なぜかと考えると、左と付き合おうが右と付き合おうが、とにかく鈴木邦男は鈴木邦男だという佇まい、オーラがあったからです。この人は、きちんと筋が通っている。だから、誰と、どういう陣営と付き合っているからといって、文句が言える筋合いの人ではない。結局、鈴木邦男さんが体現していた人格の力としか言いようがありません。

高瀬　鈴木さんは、ルポライター、竹中労さんの「人は、無力だから群れるのではない。群れるから無力なのだ」という言葉が好きだと言っていました。鈴木さんは一人で闘っていました。一人で闘っていることに、皆さんが何か魅力を感じていたのではないでしょうか。しかも、それを強く自己主張しない。自分のやるべきことを、淡々とやっていた。

白井　ほとんど伝説的なみやま荘の話も、周囲はそれを冗談のように語るところがありますが、あれは本物の覚悟です。そもそも、なぜ鈴木邦男さんは家庭を持たなかったのか。言論活動、政治活動の中で自分は何をされるかわからない。殺されてしまうかもしれない。大けがをするかもしれない。そういう人間に家庭を持つことはできないという発想があったのだろうと思い

ます。やはり、本当に並大抵の覚悟ではないです。

高瀬　今回、偲ぶ会に出て、キーワードは「覚悟」ではないかと何人もの方がおっしゃっていて、本当にそう思いましたし、最後はやはり人間性に行き着くという印象でした。人間性の豊かさこそが人を動かしていく。右からであれ左からであれ、革命を起こすエネルギーの原点はそこにあるのではないか。そういう印象を持ちました。

ですから、今の日本に欠けているものをみんな持っていたような感じもします。覚悟があり、感情も豊かで行動力があったということですね。

白井　この世界で飯を食っていて、何か出来事が起き、自分がどういう方向性を取るかというときに、「鈴木さんはどう見るだろうか。何を言うだろうか」と、どうしても参考、参照したくなる北極星のような存在でした。意見を聞こうと思っても、もう鈴木邦男さんはいない。このことを受け止め、改めて前を向いていかなければならないと思います。

6

世界の覇権は誰が握るのか？

入れ替わる米中と新しい帝国主義の時代

世界は大きく再編し始めている

高瀬　ウクライナ戦争に終わりが見えない中、２０２３年5月19〜21日にかけてＧ７サミットが広島で開かれました。ロシアが核兵器の使用をほのめかす時代に、被爆地からどのようなメッセージが出されるのか注目が集まりました。発出された広島ビジョンではロシア、中国、北朝鮮、イランなどの核開発を批判する一方で、自分たちの核は抑止力として肯定、容認し、核廃絶へ向けた具体的な道筋は示されませんでした。

ウクライナのゼレンスキー大統領も参加してウクライナ支援のための武器供与の話も行われ、広島の被爆者や市民などからは被爆地を踏みにじるものとして失望や怒りの声が上がっています。一方、グローバル・サウスと呼ばれる新興国も招待され、Ｇ７との連携、ウクライナ支援を取り付けようという目論見も見えたわけです。白井さんは、今回のＧ７をどのようにご覧になりましたか？

白井　広島ビジョンが批判にさらされていることが話題になっていますが、私から見ると、戦後、日本が核兵器そしてアメリカとの同盟関係に対して取り続けてきた態度の矛盾が、ここで赤裸々に現れたのだと思っています。

広島、長崎で核攻撃を受けたという痛切な経験から、日本は核兵器には絶対にかかわらないという非核三原則を国是にしている一方、アメリカが投げかけてくれる核の傘の下に入ることも国家の方針です。いざとなったらアメリカが日本に敵対してくる国に対して核攻撃をしてくれる。この二つは、どう見ても矛盾です。その矛盾をずっとあいまいにしてきましたが、こういう国際情勢で対米従属がますます強まるという展開の中で、本当の国是はどちらなのか。結局は、核の傘のほうが大事で、非核三原則ははっきり言えば冗談みたいなものだと白状したような状況になりました。

高瀬　今回、それがはっきりしました。戦後の日本は矛盾を抱えてきたわけですが、引き裂かれた状態にある広島で、被爆の問題に関わっていくというメッセージを出すのが本来、議長国としてやらなければいけないことでしたが、そのあたりを全然考えていなかった。

白井　本当に議長国としてのリーダーシップを果たすのであれば、ウクライナのゼレンスキー大統領だけではなく、ロシアのプーチン大統領も呼んで、まずは停戦に向けた第一歩の道しるべをつけるといったことをやるべきでした。これなら議長国としての存在感を示したことになるでしょうが、しょせん日本はアメリカのパペットなので、結果的に先進国、G７の結束を誇示するためのイベントになったということです。

高瀬　そんな中、世界は今大きな再編が起き始めています。一つは、２０２３年に入って、仇敵だったサウジアラビアとイランの国交が正常化したことです。その実現には、中国の仲介が大きな影響、役割を果たしました。

図5　新興・途上国のGDPは主要国を逆転した

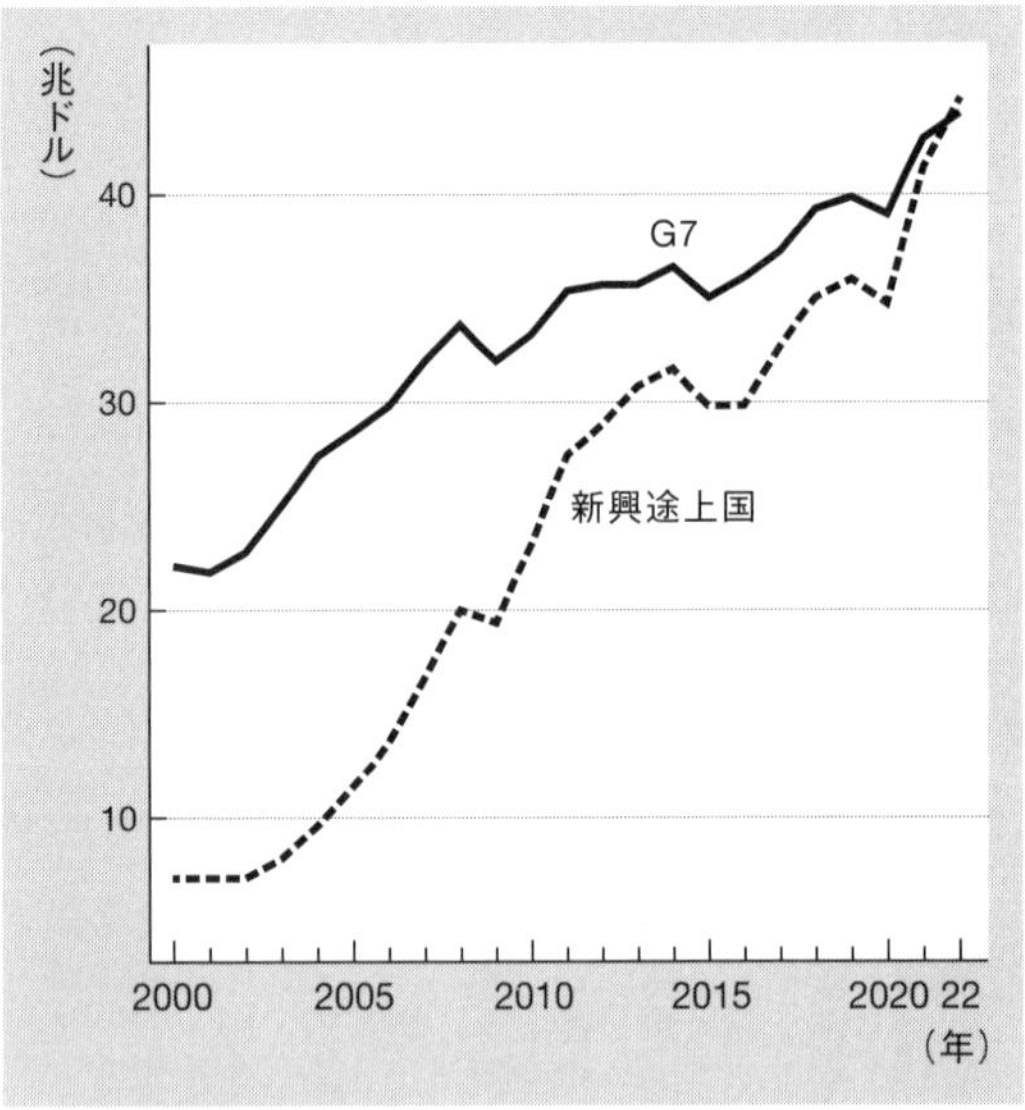

出典：国際通貨基金(IMF)

さらに、米ドルによる国際的な決済にも変化が起き始めています。米中が激しく覇権を争う中で、今まで通りにはいかなくなり始めているということです。アメリカ一辺倒で生きてきた戦後の日本ですが、これからの日本は外交だけで生きていけるのか。何らかの変更を迫られることに違いはないと思います。

G7の中に見え始めた世界の再編が「グローバル・サウス」です。インド、ブラジル、インドネシア、太平洋諸島のクック諸島、アフリカのコモロといった国々が招待されていた。グローバル・サウスという名称は曖昧なところもあります。昔の南北問題の南側と考えればいいでしょうか。

白井　いわゆる発展途上国と言われてきた国々ということになります。

高瀬　南半球に多いアジアやアフリカなどの新興国や途上国の総称ということで、東西冷戦の時代は南側が発展途上であり、「第三世界」という言い方もされてきました。ソ連が崩壊した後、資本主義が世界を覆っていく中で、この第三世界も非常に成長してきた。これが、グローバル・サウスです。大きく分けてこんな感じという概念的な存在でもあるのですが、それらの国々が今、人口も非常に増え、発展しているということです。それを示すのがＩＭＦの調査。新興途上国のＧＤＰの総和は主要国を逆転しています（図５）。Ｇ７各国は今回のサミットは素晴らしかったと自画自賛し、それを支持する識者もいますが、明らかにＧ７は世界の中で存在感が薄れています。

ウクライナ紛争以降、薄れてきたＧ７の存在感

白井　そのことを劇的に示すことになったのが、ロシアとウクライナの紛争に対する対応でした。グローバル・サウスのサウスはどこを指すのか難しいですが、この戦争の場合はロシアはサウスに入ります。

ロシアに対する経済制裁に参加している国はヨーロッパのほとんどの国々、北米の２カ国、オセアニアのオーストラリア、ニュージーランド。アジアだと、日本、韓国、台湾、シンガポール。アフリカや中南米の国は参加していません。経済制裁は、アメリカ主導です。それに対

して白けた反応をしている国のほうが、数としては圧倒的に多い。

アメリカは「とんでもない帝国主義的暴力をふるうロシアは、みんなで経済制裁して締め上げよう」と言っているわけですが、中南米の国々からすると、「アメリカは、これまで中南米を勢力圏だとみなして、体制転覆のクーデターや、反政府軍のゲリラを組織するなど、散々やってきた。いったい、どの口がそんな理屈を言うのか」と、まったく言うことを聞きません。

アフリカ諸国も、これまでヨーロッパ諸国が植民地主義でやってきたことを忘れるわけがなく、今さら正義を振りかざされても、言うことを聞かない。

この流れは大きなスパンと短いスパンで考えるべきだと思いますが、短いスパンからいえば、2003年のイラク戦争から始まったプロセスの結末と見做すことができます。アメリカ、イギリスが大量破壊兵器を作ったとしてサダム・フセインのイラクに攻め込んだわけですが、これは言いがかりだった。現在も、イラク地域はぐちゃぐちゃで、途方もない数の人命が失われてきました。アメリカの大義は間違っていると世界が知りました。

他方、長いスパンで考えれば、大航海時代にまで遡る話です。ヨーロッパ人勢力が世界中に船を出していって、そこを植民地にしていくという500年以上にわたる世界史的なプロセスです。これによって北の優位、南の劣位が構造化されてきた。

今、グローバル・サウスの国々が言うことを聞かないという現実は、ねじ伏せられてきた力によるカウンターです。言うことを聞かせるだけの力が先進国にはなくなってきた。あるいは、力の格差が縮まってきた。こうした傾向がウクライナ紛争以降、顕著になりました。

高瀬　G7と言いながらグローバル・サウスの国々を招待したということは、少しでも自分たちの陣営に引き込みたい意図があからさまになっているわけです。

G7が開かれていたとき、ちょうど裏側では中国の習近平国家主席が中国陝西省の西安で、中央アジア5カ国の首脳と「中国・中央アジアサミット」を開いていた。共同文書「西安宣言」には、国際秩序やグローバル・ガバナンスを公正で合理的な方向に発展させると明記していました。G7サミットに対抗する姿勢を見せたということで、ガチンコでやってきたなという感じがしました。

白井　日本メディアの報道を見ていると、「何か集まってやっているけれど、二流だ」といったバカにした見方が潜在意識としてあるように思いましたが、そんなにバカにした見方をしていると、とんでもないことになります。いったい何が起きているのか、まず虚心に見なければいけないと思います。

高瀬　中国は、中央アジアの国々を呼びました。かつてロシアがソ連だった頃には、中央アジアもソ連邦の中に入っていた。ところが、ロシアの力が弱まる中、しかも今回のウクライナ戦争でロシアのやり方に対してまだ反発する国々がいる。そのあたりを中国が取り込み始めている。中央アジアでいろいろなことが起きている。そういうことを象徴するサミットでもあったと思います。

議長国日本のメディアはG7サミット報道に重点を置いていた。おそらく国民は、中国・中央アジアサミットで何が行われているのかわからなかったのではないかと思います。米中の覇権争いは、台湾をめぐる問題など、世界のあちこちで展開されています。さまざまな面でアメリカの覇権に翳りが見え始めていることは間違いないでしょう。

中国の存在感が確実に増している

高瀬　一方で、中国の存在感が増していることは確実です。世界のパワーバランスが大きく動き始めている表れです。

その一つが、2023年3月10日のサウジアラビアとイランの国交正常化合意の発表です。しかもその仲介役が中国だったというニュースが入ってきました。

白井　イランとサウジアラビアは地域的に中東であって、アジアではないわけです。文化的にも異なる中東地域で、深刻な対立状態にあった両国の関係を中国が取り持ったというのは、中国外交にこんな実力があったのかという意味で驚きました。

高瀬　中国が中南米、それからアフリカに入り込んでいることは知っていましたが、中東は中国とどんなふうにつながっていくのか、なかなかわかりませんでした。

白井　中国外交といえば戦狼外交などと言われ、自国の主張を極めて強硬に一方的に主張し、反対する国に対しては脅迫をちらつかせるという強硬一本槍で洗練されていないというイメージが流通していました。

高瀬　いろいろな時代状況がありますが、まずサウジアラビアとイランを考えてみたいと思います。

サウジアラビアはイスラム教スンニ派、そして王政で、アメリカと事実上の同盟関係にあります。イランはイスラム教シーア派で、ここでも対立しています。政治としてはイスラム共和制で、アメリカと敵対している。中東の二大原油国、資源大国で、しかも政治も宗教も対立している、まさにガチンコの二国です。

白井　さらにいえば、民族的にもサウジアラビアはアラブ系で、イランはペルシャ人ですから、言語も違います。ライバル心も強く、厳しい対立に陥っていました。

高瀬　どういう対立か簡単に説明すると、2014年にイエメンの反政府組織でシーア派（少数派）に属する部族集団「フーシ」が首都の主要政庁舎を占拠した。2011年の民主化運動「アラブの春」以後、イエメンではスンニ派が新たな政治体制を始めようとしていた矢先でした。2015年にスンニ派のサウジアラビアがイエメンの内戦状態に警戒を強めてイエメンに軍事介入をして、内戦が泥沼化していくわけです。

サウジアラビア側は、イランがフーシを支援して混乱させていると警戒をしていた。サウジアラビアにも一部シーア派がいるということで、自らの国にも火の粉が飛んでくるかもしれないと考えて、イエメンに軍事介入したわけです。ここで戦費がかかっていったという状況がありました。

2016年、サウジアラビアでは、テロに関わった容疑でシーア派の指導者を処刑しています。これに対してイランの民衆が怒り、イランの首都テヘランのサウジアラビア大使館を襲撃して両国は国交断絶に到りました。しかしこれでは収まらず、両国の対立が周辺国にも波及して、イラク、イエメン、シリア、レバノン、カタール、石油施設、タンカーなどへの攻撃も起きました。

白井　結局、中東全域でどちらがこの地域のリーダー国なのかということを、お互いにアピールするかのごとくにエスカレートしていました。

高瀬　イランはというと、核開発問題があります。アメリカからずっと制裁を受けていますが、イランは核開発を緩める気はなさそうで、制裁のために経済が悪化しています。

そしてもう一つ、ヒジャブという女性の髪を隠すスカーフを巡る問題です。着用方法が適正でないと警察の取り締まりを受けた女性が拘束中に亡くなるという事件が起きました。それに対して抗議デモが起き、22年9月19日に5人死亡するなど、イランはイランでイスラム体制が揺らぐ騒動が起きていたわけです。

そんな中、オマーンとイラクがイランとサウジの仲介に入っていたということですが、それだけでは動かず、水面下で中国が仲介に動いた。22年12月には習近平国家主席がサウジアラビアを訪問。23年2月、今度はイランのレイシ大統領が中国を訪問。そして23年3月10日、サウジアラビアとイランの国交正常化が発表されました。

もともとはアメリカが中東に対するプレゼンスを持っていて、有事があればアメリカが出ていっていました。ところが、アメリカはもはや信用ならない。これが大きな背景としてあったようです。

白井　イラク戦争はあまりにも不義の戦争であったために、そこから20年経って、アメリカは中東に対するハンドリングを完全に失いつつある状況ではないかと思います。

高瀬　アメリカはシェールガスの採掘方法が確立しつつあり、自国でエネルギーを賄うことができるようになって、中東に依存しなくてもよくなった。そのうえでイラクの問題もあり、信用をなくしています。

一方で、中国の台頭がアメリカの念頭にあるので、アフガンからの撤退を決めた。

白井　ただし、石油やガスの利権問題はとても複雑で、埋蔵されている石油やガスを取りたいということもありますが、しかし、石油の現物以上に石油の決済方法が変更されることが問題だった。

アメリカがイラクに戦争を仕掛けた最大の動機は何かというと、イラクが石油の決済をドルからユーロに切り替えようとしていたという有力な説があります。イラクのような非常に重要な産油国が石油決済でドル離れをすると、ドル覇権が揺らぎかねない。石油を筆頭に、極めて重要な特定の商品がドルでしか買えないという体制にこそドル覇権の秘密があり、アメリカ覇権の根拠があるといわれています。中東をこういう形で掻き回して、手放さざるを得なくなってきたという現状は、最終的に石油の決済通貨の変更、ドル覇権の崩壊につながる可能性があります。

高瀬　そんな中、日本にほど近い台湾有事の問題も降って湧いたように出てきて、アメリカは急にアジアにシフトしてきた。ところが中国を相手にアジアに出てきたのに、中国はその隙を狙ったかのように中東へ入っていった。このあたりはちょっと見事でした。アメリカは肩透かしをくらった。

白井　中東は、まだまだ治まらない地域です。アメリカはなんとかハンドリングしようとしてきたが、逃げ腰になっている。そこに中国が出てきた。3月10日にサウジアラビアとイランの出した共同声明の冒頭には、「習近平国家主席の崇高なイニシアチブに基づいて……」と書いてある。これは現代の中華皇帝かという印象を受けました。

こういう事柄はヤクザの抗争に例えるとわかりやすい。地域のかなり有力な団体であるサウジ組とイラン組は、長年の抗争状態にある。サウジの上には、アメリカ親分がいたけれど、イラン組はアメリカ親分の言うことなど聞かないのでハンドリングができず、アメリカ親分はさじを投げた。

そこで、中華親分が出てきて、「いろいろあったが、そろそろ何とかしろ」と一喝する。ここで両方の組に「わかりました。我々も手打ちして矛を収めます」と言わせたわけです。イランとサウジアラビアが抗争を再開すると、中華親分の顔に泥を塗ることになる。「お前ら、俺の前で治めの杯を交わしたよな」とドスを利かせるだけの力を中国が持ち始めたということです。

アメリカに対するさまざまな意識変革

高瀬　何が両国を治めさせたのか。その情報がなかなか出てこない。

白井　サウジアラビアが、明白にアメリカ離れを決断したのではないでしょうか。アメリカの新聞で報道されたことですが、オフレコ的な会話で、サウジアラビアの有力な指導者の一人がアメリカの言うことを聞くのはもう止めだと語ったとされています。

高瀬　中東といえばアメリカの影響下にあった時代が戦後ずっと続いていました。サウジアラビアとイランが国交正常化しただけではなく、アメリカが中東への力を失ったというファクトを注視しなくてはいけませんね。日本は中東と良好な関係がありますが、日本の親分のアメリカは中東では影響力が及ばなくなっている。

3月13日、サウジアラビア・イラン国交回復、中国を含む共同声明発表、そして14日にアメリカのバイデン大統領が国交再開を歓迎したということですが、アメリカでは警戒感がある。22日、サウジアラビアのリヤドで第2回金融セクター会議があり、イランへの投資にも言及した。そして3月31日、サウジアラビアが上海協力機構への参加を閣議承認。4月7日、サウジアラビアとイランが合同商工会議所開設へ交渉開始を発表。10日にサウジアラビアとイランの外相が北京で会談。4月14日、サウジアラビアとイランの大使館が7年ぶりに開館。紆余曲折があるかもしれませんが、どんどん国交正常化に伴う動きが出ています。

中東を二分するこの大国の国交回復は、今後、多方面にも大きな地殻変動をもたらす可能性があります。影響はすでに出ていて、バーレーンとカタールが国交回復で合意。アラブ首長国連邦、バーレーンなどがイランとの関係を改善。両国はサウジアラビアの影響を受けていた国です。

そして、イエメンではイランの支援を受けていた反政府勢力代表がサウジアラビア政府と直接会談。シリアはイランが支援していましたが、反政府勢力はサウジアラビアが支援していた。ところが、シリアとサウジアラビアの外相が相互訪問し国交回復で合意。5月7日、外相会議でアラブ連盟へ復帰決定ということです。

サウジアラビアとイランが揉めていたときは、周辺にまで火の手があがっていたのに、一気に収束し、中東の力が結束し始めている。

白井　イラク戦争以降、悲惨な戦乱が長いこと続いてきました。ですから、この地域に暮らす人々が切実に求めていることは、当然、平和です。その平和を中国がもたらすことができてしまったら、それを誰が批判できるのかという話になります。

中国が批判されるネタはいろいろとありますが、民主主義を掲げるアメリカのほうが、限りない戦乱の連鎖をもたらした。論より証拠ということになります。

高瀬　平和になってみれば、アメリカに対して厳しい見方が増え始めます。両国の国交回復を、現地の人たちはおおむね歓迎しているということです。

中東の意識変革で面白いと思ったのは、２０２２年からのウクライナ戦争での関わり方です。アメリカ、イギリスはＮＡＴＯを東方へ拡大した。敵対関係を将来にわたりどこまでも推し進めていくやり方を目の当たりにして、グローバル・サウス諸国では、この紛争を続けることへの危機感が高まっている。

黒木英充さんという東京外語大学の教授が長周新聞（山口県で刊行されている地方紙）で語っているのですが、ウクライナ戦争を日本から見ていると、プーチンが「核を使うかもしれない」と時々言ったりするので、どうしてもプーチンが悪者になる。ですが、世界の多くの国が同じように受け取るわけではないことが、ここからわかりますね。

白井　これに関しては、日本のテレビ、新聞報道は一辺倒です。戦争が始まったとき、「こういう見方もあるのか」と一番感心したのが、アメリカの国際政治学者ミアシャイマーが、「この戦争の責任はアメリカにあるではないか」とはっきり言い切ったことです。ウクライナにまでNATOを伸ばしていけば、ロシアがどんな手段を使ってでも阻止することはわかりきっていた。わかりきったことをやって戦争を引き起こしたのはアメリカの責任であるということで、「なるほど」と思ったわけです。

しかし、ミアシャイマーの主張はアメリカ国内のテレビ放送では流せない意見だし、ヨーロッパでもこういった言説はほとんどタブーになっています。例えば、今、異彩を放っている学者はフランスの人口統計学者エマニュエル・トッドですが、「ウクライナは戦争が始まる前から事実上NATOの加盟国だった」と言っている。ウクライナにはアメリカとイギリスの軍事顧問が入っていて、この紛争が始まる以前からウクライナ軍の訓練を行なっていた。しかし、いざロシアの侵攻が始まったら、軍事顧問たちは一目散に逃げ出した。

だからウクライナが置かれた立場は、本当にひどいものです。事実上はNATOの一員という扱いをされて、ロシアの逆鱗に触れた。でも、NATOの一角だからNATO諸国が守ってくれるのかと思いきや、守ってくれない。そうこうするうちに中国によるサウジアラビア・イランの仲介という大ニュースとほとんど同時期に一大スクープが出たわけです。

パイプライン「ノルドストリーム」の破壊はアメリカの仕業？

白井　ロシアからドイツへ、バルト海の海底を通ってガスを運んでいるパイプライン「ノルドストリーム」が2022年9月に何者かによって破壊されるという事件が起きました。事件発生当時、アメリカは「これはロシアの仕業だ」と言っていたわけですが、2023年2月、アメリカの伝説のジャーナリスト、シーモア・ハーシュさんが、「アメリカの特殊部隊、米軍特殊部隊の仕業である」とスクープしました。かなり確度の高い情報だと思います。真相が公知されたらバイデン政権が飛ぶような話です。

もともとこの事件は、ロシアがやったという説には状況証拠的に説得力がありませんでした。というのは、そんなことをしてもロシアは損をするだけだからです。

ドイツのみならずその他の西ヨーロッパ諸国も、ロシアにガス供給を依存している。ロシアとしては「いつまでもウクライナに肩入れするようだったら、ガスを止めるぞ」というのが、非常に有力な恫喝の手段です。パイプラインを壊したらその恫喝が効かなくなるので、ロシアが壊す動機がない。

高瀬　おそらくハーシュさんのスクープは間違いないだろうと思います。私は最近、平和学を長年研究してきた著名な学者の方から、ある資料をいただきました。それを見ると、ドイツとロシアが結びつくことをアメリカは最も嫌がっていた。10年ほど前、オバマ政権の頃から画策して、ウクライナをアメリカ側に引き込みながら、ロシアを痛めつけたい思惑があったと、その資料の中にきちんと書かれている。そこでハーシュさんの話も出てくる。

白井　実はノルドストリームは2本あって、1本は2011年から稼働しているわけですが、2本目は事実上できていたのに許認可がなかなか下りず、スタックした状態だった。アメリカはドイツに対してものすごい圧力をかけていて、2本目は開くなと言った。内政干渉そのものです。

ドイツにとって、ノルドストリームは政治的な意味と経済的な意味の両方があるインフラです。経済的というのは、パイプラインから取るガスは安価で、スポット買いをするガスよりもはるかに安い。かつ、自国で使うだけではなく、余れば西ヨーロッパへ流してガスを売ることができ、差額で儲かる。ドイツにとっては一粒で二度おいしいものだった。

政治的には、ヨーロッパの盟主としてのドイツが自ら先頭に立って、異物扱いされがちなロシアとの窓口になり、関係を取り仕切るのがドイツの東方外交の方針だった。その象徴として、パイプラインがある。パイプラインは、基本的にロシア最大のガス会社ガスプロムの子会社が持っています。その子会社の会長には、前々ドイツ首相のシュレーダーさんが就任していた。だから、ドイツの外交のグランドプランにかかわるようなインフラだということがわかると思います。

このことから、ロシアとウクライナの紛争で、ウクライナの次に困惑している国はドイツではないかと思います。

高瀬　ドイツはウクライナからの武器供与を求められ、ドイツ製の戦車、レオパルト2を供与することになりました。ロシアから見れば、敵を支援している状態なので、ドイツは本当に困っていると思います。

白井　ドイツは紛争勃発当初、ウクライナにヘルメットを送ろうと言っていた。「いくら何でもひどい」と対戦車砲ジャベリンを送ろうという話になり、ついには戦車になった。支援がレベルアップしていますが、これは要するにこれまでドイツが行ってきた外交の敗北、破綻を意味します。

高瀬　ロシアの侵攻は、メルケルさんが退任してからでした。それまで築いてきた独ソのいい関係が壊れて、ドイツはおそらく窮地に至っているのではないでしょうか。

白井　ノルドストリームの件について「アメリカはここまでやるのか」と思いました。ドイツにしろ、パイプラインの恩恵を受ける西ヨーロッパの国々にしろ、みんなアメリカの同盟国です。その同盟国がウクライナ支援、言い換えればロシアを追い詰めることから撤退することは絶対に許さん。要するに、同盟国民の市民生活を脅かしてでも、この戦争に加担させ続けるという強い意思を示したとも言えます。

高瀬　アメリカは長期間にわたって戦略を練っていて、10年ほど前から手を打ってきたのではないかともいわれています。となると、ここで考えなければいけないのは、そのアメリカが一方で、東アジアの問題に首を突っ込んできた。それこそ台湾有事の問題が大きなテーマになっています。同盟国の日本はアメリカにべったりですが、ドイツの置かれている立場を見れば、日本はこれからも変わらず庇護してもらえる保証はない。同盟国として何十年付き合おうが、アメリカの利益のために、日本が苦しい立場に追い込まれるのは十分に考えられます。

白井　もっと言えば、ロシア・ウクライナ戦争を通じて、ドイツ中心のEUを破壊しようとしている印象すらあります。ヨーロッパでその先兵になっているのがイギリスです。ドイツが一人勝ちになるような欧州連合は気に食わないと、イギリスはブレグジットでEUを離脱した。そのイギリスとアメリカが組んで、ウクライナ支援を強力に推し進めている。こう考えると、すべて平仄《ひょうそく》が合うわけです。

高瀬　結局、米英というアングロサクソンがずっと牛耳ってきた世界戦略が、ここでも展開されています。ドイツはかつて敵でしたが、非常に微妙な立場に追い詰められています。

このあたりの情報は、日本にいるとなかなか入ってきません。ロシア対ウクライナ、あるいはロシア対ウクライナの後ろにいるNATOという単純な図式です。NATOに正義があるかのごとき報道ばかりですが、グローバル・サウスは、引いたところで状況をきちんと見ています。

もう一つ、G7サミットの拡大会合に参加したブラジルのルーラ大統領が、5月22日に広島市で会見をしました。アメリカのバイデン大統領はロシアへの攻撃をけしかけている、これでは平和実現には至らない、ウクライナ問題はロシアと敵対するＧ７の枠組みではなく、国連で議論すべきだと批判しました。

Ｇ７サミットでは、ウクライナ侵攻で中立的な立場を取るグローバル・サウスの連携強化が焦点の一つだった。その一角のブラジルとＧ７の足並みの乱れが見えたということです。ルーラ大統領は「和平は頭を冷やして交渉することで達成できる」と主張し、ブラジルがウクライナとロシアの停戦へ仲介役を担うことに意欲を見せた。グローバル・サウスの大国であり、ブリックスの一角でもあるブラジルから見ても、アメリカのやり方に批判的ということです。

今はまだ強いドルだが、覇権はぐらつき始めている

高瀬　もう一つ大きな問題は、今もドルが国際通貨であり実質的な基軸通貨で、これがアメリカの強さを支えているということです。軍事力、経済力の大きさもそうですが、アメリカがなぜ世界を動かす力を持っているかというと、ドルを握っているからです。これが最近、ドルがぐらつき始めている。

実際に、ドル離れの具体例があります。ルーラ大統領は４月13日に訪中したとき、新開発銀

行（ブリックス5カ国が運営する国際開発金融機関）を訪れてブリックス向けに自国通貨での決済を呼びかけました。すでにブラジルは、3月に中国との貿易決済を自国通貨で行うことで合意をしている。ブラジルは大豆やトウモロコシの大輸出国ですから、これは非常に大きなことになるのかもしれません。

それから、ロシアと中国の貿易決済は、21年に4％だった人民元のシェアが22年は23％となり、23年はさらに増加していく見通しです。中国はイラン、ベネズエラからも人民元建てで原油、LNG（液化天然ガス）などを購入している。23年はUAE（アラブ首長国連邦）産のLNGも人民元建てで支払った。

インドは、マレーシアと自国通貨ルピーで貿易決済を合意した。ロシアとも、LNGを含む化石燃料購入をルピーで検討。ロシアとサウジアラビア、ブラジル、アルゼンチンとの人民元決済は拡大しており、中国と直接かかわらない貿易にも人民元決済が増えています。まだ割合からいったら少ないですが、これまでになかったような動きが出てきています。

白井　人民元の拡大は止まりませんね。まず、基軸通貨とは何かという話になります。世界で最も通用している、言い換えれば受け取ってもらいやすい、誰でも受け取ってくれる信頼性の高い通貨が基軸通貨です。ではなぜこれが米ドルなのか。

1971年にニクソンショックがありました。そこで、いわゆるブレトンウッズ体制が崩れ始めるわけです。ブレトンウッズ体制とは、かつての金本位制の尻尾を引きずったもので、米ドルだけが金とリンクしていて、他の通貨はドルを通じて間接的に金とつながる状況だった。

基軸通貨とは基軸通貨に特有の矛盾に耐えるだけの体力を持った通貨です。ところが、アメリカがこの矛盾に耐えられなくなってきた。米ドルは唯一金とつながっているわけですから、特権的な通貨です。それをみんな欲しがるので、大量に発行しなければならない。しかし、大量発行してしまうと、金の量には限りがあるので信頼が失われます。これが基軸通貨の矛盾です。国力が圧倒的に突出している限りでは、この矛盾は顕在化しませんが、欧日の戦後復興と成長、そしてアメリカ自身がベトナム戦争の泥沼にとらわれたため、アメリカの国力の突出性が低減してきた。こうして矛盾が金ドル交換停止という形で現れ、それ以降、金と直接リンクしたお金はなくなりました。

つまり、１万円札も１００ドル札も紙切れにすぎません。なぜ紙切れにすぎないお金で、ものが買えるのかというと、その紙切れを受け取った人は、誰かがこの紙切れを受け取ってくれるだろうと期待するからです。その期待だけで自己完結して成り立つ世界が管理通貨制度です。

しかし、そういう抽象的期待も、純粋に抽象的なものではないのです。最終的な物理的根拠がないと期待はもたない。米ドルは金ドル交換停止して以降も、特権的な通貨としてあり続けた。なぜかというと、石油、ゴールドそしてダイヤモンド、武器といった特殊な価値が認められている商品は、究極的にはドルでないと買えないからです。ニクソンショックは金本位制の尻尾を絶ったのですが、それ以降のドル基軸体制は実は商品本位制なんです。

この流れの中で、石油を米ドル以外の通貨で買う国が出てきた。アメリカは、そのような動きを力ずくで抑えるために巨大な軍隊が必要になり、その巨大な軍隊を賄うために米ドルをガンガン発行し続けざるを得ない。そのため信用が失われますが、軍事力の脅しによって信用を継続させた。

それから、米ドルを用いた決済インフラを整備してきたことも重要です。国際的な取り引きをするときには、どうしても決済コストがかかります。できるだけコストのかからない決済インフラが欲しいわけですが、これを長らくドルが独占してきた。株や為替のFXをやってみると体感的にわかると思いますが、ドル取り引きだと、決済インフラが非常によく整備されているので、取り引きコストが安い。マイナーな通貨に手を出すと、インフラが脆弱だったり、不安定だったりするので、取り引きコストが高くなりがちです。

だから、軍事的な商品本位制と決済インフラによって、米ドル覇権が維持されてきたと考えるべきだと思っています。

高瀬　まだドルは強いわけですね。23年2月の調べでは、決済時のドルのシェアは84%です。人民元で決済しようという国が出てきているとはいえ、人民元のシェアはまだ4・5%で足元にも及ばない。中国は政府の意向によって資本の取り引きがかなり規制されているので、国際的な基軸通貨としての魅力がない。

ただ、アメリカは神経を尖らせていて、アメリカ大統領経済諮問委員会のジャレット・バーンスタインが4月の公聴会で「中国が国際基軸通貨であるドルの弱体化を望んでいるという一定の証拠がある」と述べ、気にしているようなコメントを残しました。

白井　アメリカは相当気にしています。中国は日本と違って、アメリカと覇権を争うことに本気です。グローバル・インバランスという言葉があります。アメリカは世界一豊かな国だが、アメリカ人は、大変な借金をして消費をしている。貿易はずっと赤字だし、政府もとてつもない額の財政赤字を垂れ流し続けている。なぜそんな借金まみれで消費ができるのか。

基本的には、中国あるいは日本など、工業生産が盛んな国が一生懸命物を作って輸出し、アメリカに買ってもらう。では、買うお金はどこにあるのか。それは中国や日本から借りた金です。

要するに、アメリカの豊かさは、他国人が作った物を他国人から借りたお金で消費することによって成り立っている。それで「ふざけるな、いい加減にしろ」と突き放すのは理屈のうえでは簡単です。日本や中国が大量に保有している米国債を一挙に売り出せば、アメリカの経済は崩壊します。理論的にはできない話ではないですが、やった瞬間に我々の経済も崩壊してしまう。究極の「トゥービッグトゥーフェイル」ですね。

では、どうしたらいいのか。この構造はよく考えれば1970年、80年代ぐらいから日本にとっては自明のことです。アメリカに散々お金を貸して、そのお金で日本製品を消費してもらう構造です。ひたすら貢いでいるという話だったのですが、日本のエリートはそれを何とかしようとはまったく考えませんでした。中国は違う。こんな構造をいつか全部変えてやろうと思っています。

非ドルの国際決済システムの構築は止められない

高瀬　これが、大国がアメリカと本気で対抗するということなのでしょう。戦後日本は本当に貧しくてドルの準備高が少なく、お金を出そうにも出せず、とても海外旅行には行けませんでした。

しかし、今はまだドルが強いとはいえ、確実にドル離れは起きています。ドルの外貨準備高に占める割合は、２００１年は7割超ありましたが、20年ほど経った今、６割弱と1割減った。アメリカの信用が落ちています。

白井　いよいよアメリカの国力の相対的な低下が拭い難く表面化してきたということです。ロシア・ウクライナの紛争に対して、アメリカ中心の先進諸国が制裁をかけた。目論見としては、金持ち国みんながロシアとの経済の通路を閉じてしまえば、ロシアは干上がり、困り果てて「もう止めます」と言うだろうと思ったら、少しもそうならないということです。

ロシアの市民生活が窮乏化して大変なことになるかと思いきや、今のところピンピンしている。逆に、ヨーロッパやアメリカ、そして日本も、諸々の価格高騰で市民生活が圧迫されている。イタリアのベルルスコーニ元首相が、「経済制裁をしているけれど、全然効かないではないか。我々は逆に、自分自身を経済制裁しているようなものだ」と非常に的を射たことを言っていました。これは先進国の経済力が世界経済を支配できなくなってきているということです。経済危機に陥るのはロシアではなくてアメリカのほうだったという気配も出ています。

高瀬　この本が出るころには、結論は出ているかもしれませんが、政治的な駆け引きで、どこかで折り合いをつけるだろうとも予測しています。

ロシアや中国は、金を安定的財産として備蓄している話もあって、今、金の価格は世界的に高騰しています。

白井　ロシアへの制裁で非常に重要だったのが、ＳＷＩＦＴ（銀行などの金融機関を結ぶ情報通信サービスの運営団体）のネットワークからロシアを排除することでした。これは米ドルによる決済システムです。そのネットワークからロシアを排除すれば、ロシアは干上がるだろうと思ったが干上がらない。もちろんロシアとしてもドル決済ができなくなるのは非常に痛手だったはずですが、別の決済方法を考えた。

今まではマイナーだったドル以外の決済方法が、必要性に駆られて発展する。紛争が始まった直後に、必要は発明の母だから非ドル決済手段が発達するかもしれないという論評を書いていた人がいましたが、その論評は当たっていましたね。加えて、プーチンが制裁を食らったときに何をやったか。最初にルーブルが暴落したとき、どうやってその暴落を止めたかというと、ルーブル建てでないとロシア産の石油やガスを売らないという法律を作ったんです。

あのような状況になったら焦って「外貨を確保しなければ」と、ドルやユーロで石油やガスを売りたい焦燥にかられることも十分あり得ると思いますが、プーチンはまったく逆のことをやった。ルーブルでしか買えないことにすれば、一定のルーブル需要が世界で発生するので、ルーブルの価値下落は止められる。これは見事でした。

高瀬　資源を自分たちで持っている強さですよね。これは、とても日本にできる芸当ではないでしょう。

アメリカがロシアへの制裁を強め、批判するほど、ドル決済ではない新しい国際決済システムが構築されていくという皮肉。ドルとその他の通貨の差は歴然としていますが、このままだと、流れが止まらない雰囲気があります。

今回の話でわかるのは、G7の影響力は確実に低下してきているということです。世界のGDPに占めるG7の割合は、40年前は6割だったのが、現在は4割ほどに落ち込んでいます。中国の割合が上がってきてアメリカとほぼ同じになり、日本はずるずると下がっています（図6）。

これにグローバル・サウスの一部、ブリックスを合わせると、アメリカとG7に対抗する勢力として、見過ごせないのではないでしょうか。インドと中国だけで30億人近くと人口も多く、

図6　GDP世界シェア(USドル、名目)　※2021年以降は予測

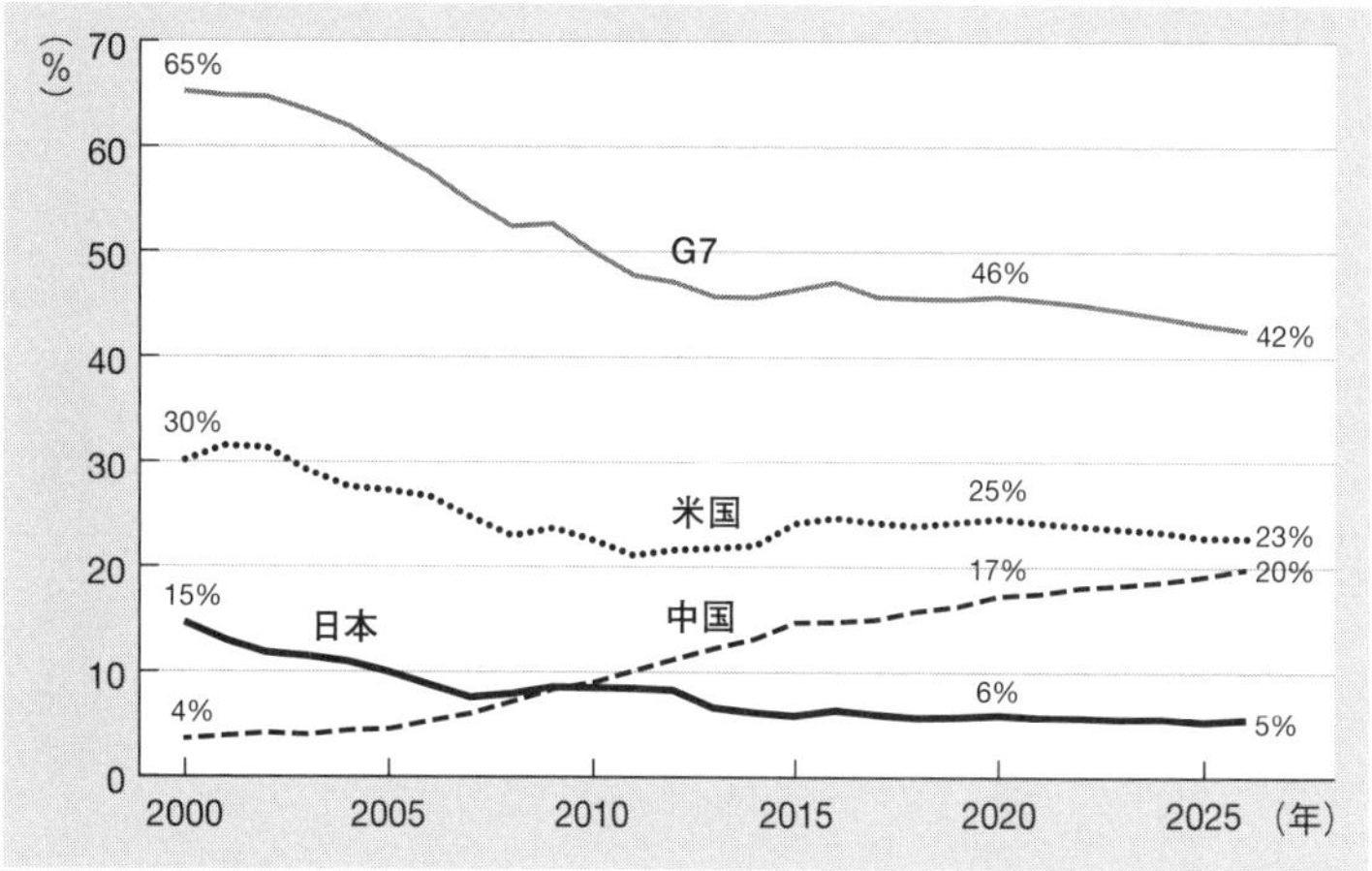

出典：IMF World Economic Outlook Databese, April 2021より第一生命経済研究所作成

ブラジル、インドネシアも大きい。２０３０年にはＧＤＰでＧ７を逆転するのではないかという見通しが出ていますが、おそらくそうなるのではないでしょうか。

白井　とはいえ、中国は人口減少問題があります。

高瀬　あとは、高齢化も大きいですね。

白井　東アジアの国々は資本主義の高度化が進むと、欧米よりも極端に少子化が進んで人口激減フェーズに入ってしまう。これは日本、韓国、台湾、中国全部に共通しています。おそらく、儒教的な価値観と資本主義の高度化の食い合わせのような問題があって、激烈なる少子化が起きてしまうという特性があるようです。

多極化が進む中、日本はどう生きるかを考えるべき

高瀬　アメリカが強いのは、人口が増えていて、しかも日本や中国ほどの少子化ではないということです。そこがアメリカの強さだろうとは思いますが、いずれにしても、米中の二強ということではなく、グローバル・サウスも含めて多極化が進んでいくのでしょう。こういう中で日本が今まで通りにG7だけを見ていていいのか。私は絶対にダメだろうと思います。

白井　私もそう思います。ロシア・ウクライナの紛争でいろいろなことが表面化しました。もともとはロシアとウクライナの戦争だったのが、徐々にロシア対NATOという構図になり、さらに中国がロシア寄りの中立という立場を取ることによって、ロシアと中国がグローバル・サウスを代理するような形でG7体制と対決する。第三次世界大戦はもう始まっているとトッドは言っていますが、仮にそれが現実化すると、グローバル南北戦争も起こりかねない。そうならないようにするためには、何とか穏当な仕方で世界を多極化することであり、平等化することが必要です。

戦前に一度やって大失敗した帝国主義を表面的にごまかしながらキャリーオーバーしたというのが戦後日本国家の実像だというのははっきりしています。しかし、引き返しましょう。アジアは一つだという理念を説くことは可能だと思いたいし、グローバルな平等化が大事だと言

う資格はまだ日本にあると思いたいです。日本は帝国主義の時代では最後発国だったゆえに、大東亜戦争という大きな過ちを犯したとはいえグローバルサウスからの反発も、欧米に比べれば少ないです。

高瀬　日本は憲法9条のもとで、とにかく戦争はしないということできた。いろいろと裏があるとしても、平和国家として80年近く存続できたことで、中東では信頼がある。経済大国として一応成功を見た日本にもう一度立ち返ってほしい。アメリカの影響はあったにせよ、アメリカ一辺倒ではない。日本という国はいったい戦後をどう生きてきたのかという原点をもう一回見つめ直せば、自ずと道は見えてくる気がします。

白井　ところが日本の親米保守権力は、いよいよこのアジアで決戦ということになった際には、日本にG7の中の鉄砲玉という役回りを担わせようとしている。

高瀬　今回の広島サミットは、広島という土地で好戦的なスタートを切ったような印象を受けるわけです。政権側は自画自賛しているし、なかなかよかったとするメディアもありますが、私はそうではないと思います。もう一度、G7で何が起きていたのか、どんな発言があったのかを振り返りつつ、世界が多極化する中で日本がどう生きるかを考えてもらいたいと思います。

日本の新しい道を探して

2024年を考えるための
石橋湛山

7

石橋湛山は圧倒的な異彩を放つ政治家

高瀬　今回は、日本の総理大臣の中で、今も折りに触れ語り継がれる石橋湛山《たんざん》について取り上げたいと思います。というのは、今年が没後50年にあたるからです。ただ、石橋湛山にフォーカスするのはそれだけが理由ではありません。今、ロシアとウクライナの戦争で世界の分断が進んでいます。核戦争の危険性も高まっていますが、湛山が政治家として生きた時代も、同じような緊張と分断の時代でした。しかし、湛山は状況に流されることなく、大国同士を融和に向かわせるために、日本として何ができるかを考えて精力的に行動しました。

２０２３年３月には、超党派の国会議員が集まって石橋湛山思想研究議員連盟が設立され、湛山の見直しが始まっています。今こそ、優れたジャーナリストでもあった湛山から学ぶべきことがたくさんあると思います。白井さんは湛山についてどんなふうに考えていらっしゃいますか。

白井　実は『永続敗戦論』という本で、石橋湛山賞をいただきました。本当に誇らしかったです。

高瀬　白井さんは早稲田の出身で、湛山と同窓です。やはりその人の名前を冠した賞は栄光でしょうね。

白井　戦後に限ってみても、総理大臣を勤めた政治家は多数いて、その功罪、評価はいろいろありますが、私の中で石橋湛山という人は、歴代総理の中で一切の留保なしに尊敬できる唯一の人物だと常々思っていました。ですから、その名前を冠した賞をいただいたときは本当に嬉しかったです。

高瀬　今回、この企画にあたって私なりにいろいろと調べてみました。もちろん湛山のことは知っていましたが、よく調べてみると、白井さんがおっしゃったように明治以降の150年の近代史の中で圧倒的に異彩を放っています。

白井　知識人、ジャーナリスト、文筆家として一級の人だったということはもちろん、政治家としてのブレなさ、倫理感の高さなど、いろいろな側面から見て図抜けた存在だと思います。

高瀬　湛山の没後50年を記念するシンポジウムが、2023年6月17日に湛山の母校である早稲田大学の大隈記念講堂で開かれました。石橋湛山そのものよりも、今、米中関係が緊張した中でジャーナリズムとしてどう対峙すればいいのか。これから日本のジャーナリズムは大丈夫なのかという視点、問題意識のもとに改めて湛山を考えるという話でした。

湛山は平和主義であり民主主義者でもありますが、それだけではなく理想を追い、権力の中に入っていった。ここはやはり面白いですね。

白井　社会党から誘いを受けていましたが、それを断って保守陣営に行った。それが後々、首相へのルートになっていきますが、湛山自身が保守の側で勝負しなければ天下は取れないと腹をくったところがありましたね。

政治家・言論人・エコノミストという三つの顔

高瀬　湛山は三つの顔を持っていると言われた人物でした。

一つは政治家。第55代内閣総理大臣です。１９５６年12月に総理大臣に就任しましたが、病気のため、57年1月には辞任しました。在任期間は65日と非常に短かった。

次に、言論人であったこと。東洋経済新報で記者をして、後に社長になっています。さらにエコノミストでもあり、積極財政論者であったということです。

思想信条からいうと、合理主義者です。実利を大事にした。それからプラグマティスト。これは実用主義ともいわれます。早稲田の文学部でプラグマティズムを学んだということです。それから、平和志向、自由主義、民主主義を志向していたことで、中国文学者の竹内好さんは「自由主義者にしてアジア主義者」ということを言っていました。つまり、自由主義というと欧米の思想がベースですが、アジアに根付いた考え方、思想を持っていたと言っているわけですね。

そして、軽武装、経済重視に同調していた。これは吉田茂路線ですが、米国に追従するのはダメだと考えていて、自立更生を目指した。鳩山一郎、岸信介のように憲法改正、自衛力増強という路線にも与しなかった。ストライクゾーンが小さかったかもしれませんが、面白い思想だったと思います。日米関係を踏まえつつ、国の自主独立を目指す強い意志があって、小日本主義、戦前の帝国主義的拡張路線とは正反対の道を戦前から説いていた。

これらの説明だけでも、非常にくっきりと人間像が浮かび上がります。

白井　大学で教えていると、学生の歴史に関する知識量がだいぶ足りなくなっていると実感しています。石橋湛山に関しても、ほとんどの学生が知らない。総理大臣を務めたとはいえ、期間は非常に短かったので試験でも出ないと。しかし、戦後の首相の中で、その後の日本がどうなっていったのか、そして本当はどう成り得たのかを考えるうえで、湛山は最重要人物です。

高瀬　湛山とはどういう政治家だったのか。何を主張し、何をした人だったのか、少し経歴をたどってみます。

1884年、東京生まれ。翌年にお父さんが山梨県内の寺の住職となり、お母さんと一緒に甲府に転居している。県立尋常中学校に飛び級で入るなど、非常に優秀でしたが、二度落第している。このあたりが少々面白いところです。落第した最終学年で出会った校長がアメリカの教育者で札幌農学校を開校したウィリアム・スミス・クラークの影響を受けていた。この先生に湛山は大きな影響を受けた。勉強はできたようなので東大を受験したものの、二度失敗。それで、早稲田大学文学部に入ります。文学部哲学科では、田中王道というプラグマティズムの研究者に強い影響を受けた。

この後、文学部を首席で卒業しています。エコノミストでもありましたが、後に独学をしたようです。卒業後、ある新聞社に入りましたが、そこはあまりよくないというので東洋経済新報社に入り直した。

1912年に明治天皇が亡くなったとき、「愚かなるかな神宮建設の議」という明治神宮の建設に関する評論を出します。今、明治神宮外苑の木を切る、切らないで揉めていますが、神宮を建設するよりも明治賞を創設したらどうだと提案しています。きちんと明治天皇の遺訓を称えて、毎年ノーベル賞のように賞金を出したほうが、明治天皇の意向も活きるのではないかということを書いた。

さらに「一切を棄つるの覚悟」「大日本主義の幻想」を執筆して小日本主義を提唱した。小日本主義は後ほど説明しますが、日本が拡大路線を採る中で、そんなに拡大してはいけないと言った。

1939年、日本の侵略で中国大陸に戦火が広がる中、東洋経済新報の社員を集めて、言論圧迫されても良心に反する行動を絶対に取らぬよう指示した。

45年に太平洋戦争が終わり、戦後日本の「平和主義、産業振興」を提言して46年に衆議院議員選挙に立候補します。落選しますが、大蔵大臣に就任している。これは極めて異例です。経済に強かったところを買われたようです。47年に衆議院議員に当選したものの、非常に鼻っ柱が強くてＧＨＱの問題点を指摘していたので公職追放処分を受けました。51年に解除されます。そして56年12月に自由民主党の総裁に選出されて、総理大臣に就任する。ただし、たった2カ月で病気のため辞任。首相在任期間65日は何とも惜しい。その後も「日中米ソ平和同盟」の構想を発表するなど政治活動をし、亡くなったのは88歳でした。

経歴を俯瞰して見るだけでも、主張を曲げずきちんと行動していたということがわかりますね。

豪気で信念が強く、自説を曲げないブレなさ

高瀬　湛山の人生は戦前、戦中はジャーナリスト・言論人、戦後は政治家で、両方の時代を貫いているのがエコノミストということになります。リベラル系が喜びそうな性格あるいは思想信条ですが、一方で非常に鼻っ柱が強い。ここが魅力だと思います。

白井　湛山から見習うべき事柄の一つは、勇気だと思います。信念を持ってものを言う。そしてそれを曲げないことです。ここ15年間の日本のひどい状況を考えたとき、その原因は、要するに人間の問題、勇気がないからだということがあまりに多い。

高瀬　腹が据わった政治家になかなか会えないですね。

白井 ジャーナリズムもまた然りです。

高瀬 自分の首をかけてでもここは突っ張れと思いますが、トップが情けないので、腰くだけになる。

白井 戦前から戦後への間、日本国家の在り方は大きく変化していくわけですが、湛山は一度もブレていないんです。「小日本主義」を言い出したのは、日露戦争が終結してから16年後。

高瀬 1921年ですから、第一次世界大戦が終わった後です。

白井 韓国併合から10年後、満州事変の10年前です。

高瀬 日本は拡張拡大路線ですね。競って植民地を獲得する時代です。

白井 帝国主義の世界ですから、領土的な膨張を求めるのは、社会主義者を除けば当時の常識だった。その中で、堂々たる論陣です。当時の常識としては、植民地を持たなければ先進国としてやっていけないだろう、また豊かになれるはずもないだろうと言われていたのに、それに真っ向から反対をして、「いや、逆に植民地なんか持たないほうが豊かになれる」と説いた。そのことは、戦後に証明されます。

高瀬 戦後、植民地から何から、全部を失った。しかし、何もない中から高度経済成長を果たすわけですから、まさに湛山の考えが証明されたわけです。

「小日本主義」の中に、満州放棄論、植民地放棄論があります。大連、旅順など遼東半島の租借権、南満州鉄道（満鉄）経営権、安奉鉄道の経営権、鉱山採掘、森林伐採権、自由往来居住権、商工営業権、鉄道守備駐屯権をすべて放棄しろという。血と汗を流して取った利権、日清日露戦争時代から奪った利権を手放せとこの時代に言えるのはよほどのことです。

白井　日清戦争、日露戦争で得たものを全部捨てましょうというこの提案は後々、サンフランシスコ講和条約の内容と基本的に同じになっていくわけです。

高瀬　それを日本の政治家が言っているのがすごいですね。豪気で信念が強く、自説を曲げない、反骨、功利に基づく平和主義者だったことが伝わります。日本軍の発展の礎となった元総理大臣、山縣有朋が1922年に亡くなっています。そのときに「死もまた社会奉仕」と湛山は言い切っています。これは佐高信さんが書いた『湛山除名』という本の中に出てきます。

「山県有朋公は、去る一日、八十五歳で、亡くなられた。先に大隈侯を喪い、今また公を送る。維新の元勲のかくて次第に去り行くは、寂しくも感ぜられる。しかし先日大隈侯逝去の場合にも述べたが如く世の中は新陳代謝だ。急激にはあらず、しかも絶えざる、停滞せざる新陳代謝があって、初めて社会は健全な発達をする。人は適当の時期に去り行くのも、また一の意義ある社会奉仕でなければならぬ」（『石橋湛山評論集』岩波書店）と、湛山は哀悼の意もなく、言っている。

白井　思想傾向からして、山県有朋と湛山はまったく相容れない。正反対であっただろうと思います。

高瀬　そうですね。それにしても弔辞の一言ぐらい考えるものですが、全然ないんです。

白井　厳しいことを他者に対して言ったわけですが、同時に湛山は自分にも極めて厳格な人だった。わずか65日で首相を辞めた後に長生きしたことからわかるように、病気は深刻なものではなかった。風邪をこじらせたにすぎなかったので、当然、周囲には「しばらく休めば治るのだから、休職のような形でまた復帰したらいい」と勧める人たちがたくさんいたが、断った。その理由は何だったかというと、戦前、浜口雄幸政権のときに、浜口が銃撃され、後に亡くなってしまうわけですが、執務不能状態になってしまいました。そのときに、「総理大臣たる者、そういう形で休むということは許されない。辞めるべきだ」という記事を湛山が書いたことがあった。このことがあったために、自分の言ったことに責任を取らなければならないと、あっさり辞めてしまった。しかし、こればかりは、少し信念を曲げてもよかったのではないかと思います。

高瀬　自分の言ったことを貫く人間だから、これだけのことができたのでしょう。佐高さんも『湛山除名』で、「死もまた社会奉仕」を初めて読んだとき、その峻烈さに飛び上がったと言っています。佐高さんもかなり厳しいことを言う人ですが、湛山は相当なことを言っているということですね。

今、改めて見直すべき「小日本主義」

高瀬　戦後の日本はまさに湛山の「小日本主義」の通りに生きてきて、今に続く幸福を日本人にもたらしている。現在は、軍拡に走る傾向が出てきてアメリカに引きずられていますが。

白井　大事なのは、常識を疑えということです。先ほど言ったように、植民地などがなければ日本人は生きていけないというのが、戦前日本の常識だった。それに真っ向から反対して、「逆に豊かになる」ということを言った。これを現代に当てはめたら、おそらく日米安保体制だと思います。現代の日本人の大多数が、「日米安保体制を抜きにして日本がやっていけるわけないだろう」と思っています。「それは本当か？」ということです。

高瀬　今はまだ平和な時代です。しかし、湛山の前半生である戦前、戦中は本当に拡張主義で、軍部も強かったときに、なぜここまできちんと時代を見ることができ、主張できたのか。すごいと思うと同時に、なかなか理解しにくいですね。

白井　議論の立て方もわかりやすかった。帝国主義の道徳的批判に留まることなく経済的実利を強調する論理構成になっていて、拡張主義は経済的にマイナスだということをアピールしている。そこがポイントです。非常にプラグマティックです。

高瀬　長い目で見たときに、実利的に損をするから、今やっていることをやめたほうがいいということですね。こういうことをわかっている人はいたかもしれませんが、なかなか言えなかった。

白井 あるいは、帝国主義の批判者は共産主義陣営に与し、共産主義者とみなされる場合が多かったわけです。当時の情勢にあっては、彼らは激しい弾圧の対象になっていた。ソーシャリストやコミュニストではなく、あくまでリベラリスト、自由主義者という立場でやったところにうまさと特異性があり、自分の信念に社会的有効性を持たせた。戦後、保守政党の政治家になっていくところにもつながる湛山のスタンスではないかと思います。

高瀬 またすごいところは、政府、軍部におもねることがなかった。満州事変の直後、勝った、勝ったと日本中が浮かれている最中の社説で「支那に対する認識」というタイトルでこう書いています。

「支那は支那人の支那であり、日本人が満州に勢力を占めるのは、結局支那人の従地たるほかないということを考えてかからねばならない」

翌年には軍部が勘違いしていると発表しています。ときに軍部を黴菌《ばいきん》とまで痛罵したといいます。「そこまで言うか」という感じです。軍部のあり方に対して批判的だった。

1941年、真珠湾攻撃で日本はアメリカと戦端を開きます。しかし湛山は41年前後から43年まで、日中戦争および太平洋戦争の限界、それから大東亜戦争共栄圏建設の限界、全体主義イデオロギーの限界を書いていました。戦争の真っ盛りに、この戦争は限界だというわけです。

白井　極めて真っ当なことしか言っていない。誰が見てもうまくいきようがないと冷静に言っていて、現にその通りになるわけですが、当時の情勢において、それを言うことがいかに勇気のいることだったか。文字通り命がけでした。非常に優れた知性を持った知識人の多くが、そこで大きくつまずいていった。その人たちは戦後に懺悔することになり、丸山真男は戦後の日本の知識人は「悔恨共同体」として始まったと言いますが、湛山は悔恨するネタがなかった。

高瀬　それも後に紹介しますが、戦時下の言論統制はやはり厳しいものがあって、用紙やインクの欠乏も弾圧の手段になった。政府は、意に沿わない新聞、出版社への用紙、インクの割り当てを減らしたのです。

湛山は1941年、東洋経済新報社の社長になりました。戦時中に廃刊の憂き目にあわなかったのは、発行部数が少なかったということと、真正面からの反対ではなく、ときに回りくどい表現で読者に行間を読み取ってもらう変化球を投げていたことでした。しかし、基本は戦う姿勢を捨てていなかった。

孫の石橋記念財団代表理事・石橋省三氏の話として、「書斎の前の扉が厚い鉄板だった」と『日経新聞』に載っています。襲撃に備えていたそうですから、身の危険は常にあったようです。東洋経済新報社の社員の中には、軍部に協力しようという声も当然あったわけですが、湛山は断固反対し、「いざとなれば雑誌を廃刊する覚悟さえしていれば、まだ相当のことが言える」と突っぱねた。社屋を売却して、社員の給料に充てる覚悟もしていた。さらに、東京都・

芝の自宅を東洋経済研究所として、新報社再建の拠点にするつもりだった。単に玉砕ではなく、いろいろと考えていたわけです。最悪、潰れてもいいが、言うことを言って潰れる。こういう肝の座り方というのは、本当に今の人にはなくなりました。

白井　廃刊にならなかったのは、治安維持法等で検挙されてしまうギリギリのラインをついて言論活動を続けたからです。戦時中、東洋経済新報社を秋田県横手市に疎開させています。戦争末期には、紙やインクの割り当てが絞られて誌面がたった1枚になってしまうのですが、それでもついに発行を絶やさなかった。

高瀬　このあたりがすごいですね。やはり戦い続けた。終戦を疎開先で迎えた8月18日の日記に湛山は「今朝、床中にて早く醒む、考えてみるに、予は或る意味に於いて、日本の発展の為に、米英等と共に日本内部の逆悪と戦っていたのであった、今回の敗戦が何等予に悲しみを持たらさざる所以である」と書いています。

先ほど白井さんがおっしゃったように、「全然悔いるところがない」と言っている。そして、『東洋経済』の論説に「更生日本の門出　前途は洋々たり」と書いています。「小日本主義」という長年温めてきた構想をようやく実現できる好機が到来したと心底信じていた。

白井　ただ一方で、この戦争で湛山は息子を失っています。プライベートな領域においては大変な悲しみがあったはずですが、国家としての日本はまさに今、ようやくまともになれる好機が来たのだという昂ぶりが感じられます。

「個」を確立することの大切さを示した湛山

高瀬　戦後、敗戦の混乱で、どうしていいかわからない、価値観が大きく変わりついていけない、悲しいとか苦しいという話があふれている。その中で、前途洋々と言うのは堂々たるものだという感じがして、人間の大きさはなかなか魅力的です。

湛山の思想、考え方を知るうえで参考になるのが、岩波文庫の『石橋湛山評論集』です。これを読むと、湛山がどんなことを考えて、何を言っていたのかということがわかります。この中に人間について考えている部分があって、引用してみます。

「人が国家を形づくり国民として団結するのは、人類として、個人として、人間として生きるためである。決して国民として生きるためでも何でもない。宗教や文芸、あに独り人を人として生かしむるものであろう。人の形づくり、人の工夫する一切が、人を人として生かしむることを唯一の目的とせるものである」

つまり、自分という存在と国家を同一視して、日本のことを悪く言われると感情的になってしまいがちだが、そうならなくていいと説いているわけです。国家はシステムで、自分が生きるためにある。これは、まさにプラグマティックな考え方ですね。

白井　湛山の内面において、「個」が強く確立していたことを窺わせる一文だと思います。ここ10年、15年ばかりの日本の社会、人々の有様を見ていて、非常に陰鬱な気持ちになってしまうのは、自分よりも大きなもの、ちっぽけな自分よりも大きなものに同一化することによって、自分の情けなさや卑小さを見ないようにする傾向を見るからでしょうか。大きなものへの同一化の欲望は、誰しもあるとは思いますが……。

高瀬　何かに帰属したいという気持ちはあるんでしょうね。

白井　その欲望があられもなく出てきてしまっている様を見て、本当にうんざりします。個として自己確立できていないからそういう欲望に飲まれてしまうという話です。非常にベーシックな話ですが、個の確立ということが大事だということを改めて思わされます。それがきちんとできている人間は、いったいどういう仕事がこの社会でできるのかということを、湛山は示したといえるでしょう。

経済に関して現実感覚が強かった

高瀬　こういうことを言える政治家が今いるのか。与野党を通じて、ちょっと見当たらない感じがします。

湛山は、1946年、戦後初めての総選挙に立候補することを決意しました。当時、緊縮財政が叫ばれていましたが、それを阻止するためだったようです。生産設備は多くが休眠状態、不完全就業、アンダーエンプロイメントという状態の中で緊縮財政はないだろう、むしろ積極的に打って出ろと主張した。ケインズの理論に基づいた積極財政論です。

白井　エコノミストとしての湛山の仕事といえば、戦後に大蔵大臣になったことも重要ですが、その前に戦前にも大きな功績があって、それが金解禁論争です。旧レートでの復帰が浜口内閣、井上蔵相のもとで行われ、これが壊滅的な不況をもたらしていくことになる。湛山は国際金本位制に復帰するべきだが、交換レートは旧レートではなく、円の価値が下がった実勢に基づいたレートで復帰すべきであるという論陣を張っていた。「たられば」を言っても詮ないことかもしれませんが、湛山が主張した仕方で全解禁が行われていれば、戦前の歴史は少し違ったものになったかもしれません。

ここからもわかるように、経済の秩序に関しても非常に現実感覚が強い。

高瀬　戦後は、猛烈なインフレがきます。そうなると政府はデフレ政策を取ろうとする。しかし、生産設備も休眠状態のときにデフレ政策を取ったら終わりです。

白井　はい、湛山は蔵相として積極財政策を採ろうとしますが、結局、これもアメリカとの綱引き、衝突によって、なかなかうまくいかないという状況になっていくわけです。

高瀬　その後、選挙に立候補する。彼の戦前、戦中の思想、信条であれば、自由党よりもむしろリベラルな左翼のほうが近いと思いますが、自由党から立候補しました。これが周囲を驚かせました。結果的に選挙には落選したものの、吉田茂内閣の大蔵大臣として入閣する。吉田は、ちゃんと見ていたんでしょうか。

白井　そういうことなのでしょう。

高瀬　経済学者として、現実感覚があったということですね。

白井　が、しかし、となるわけです。大蔵大臣として湛山は、ＧＨＱとついに正面から事を構えることになる。有名な駐留経費問題です。

高瀬　占領軍が発注する地方の工事に関して乱脈があり、これを指摘して追及した事例ですね。

白井　米軍の駐留経費を日本が払う中に、レジャー費用なども含まれていた。湛山は米軍に対して「これはおかしい」と言う。我々は戦争をして負けたのだから、それ相応の負担をさせられるのは仕方ないが、遊興費までカバーさせられるのは道理に合わないと言って猛抗議した。そこで、湛山の国民的人気が上がっていきます。

高瀬　「よく言った」という感じですよね。占領されているし、しかも大臣なわけですから、普通だったら大人しくして従いますが、そんなことはなかった。ＧＨＱからすると、うるさい奴に見えますよね。

鳩山・石橋ラインは吉田茂に対する恨み骨髄ライン

白井　アメリカは立腹した。そして、公職追放です。日本の超国家主義、ファシズム体制を作る際に協力したという罪状で湛山は公職追放されますが、これほど不条理な話はないわけです。

高瀬　戦前、戦中の日本に対して抵抗していた人なのですが、後々にならないと湛山のことが理解されなかったところもありますね。

白井　研究者もいろいろと調べているところで、まだ結論が出た話ではありませんが、アメリカが「こいつは生意気だ。もともとジャーナリスト上がりだから、どうせ戦争協力したのだろう」と切り捨てたという説もあれば、吉田の告げ口説もかなり有力なんです。当時、追放委員会というのがあって、そこにタレコミがくる。GHQがチェックをして、黒ということになれば追放です。そのルートを考えれば、タレコミがあっただろう。では、誰がタレ込んだのか。私は、どんどん人気が上がっていく湛山に脅威を感じた吉田だったのではないかという説が有力だと見ています。これはその後、湛山が吉田系ではなく鳩山系に連なることになる根本動機になっているはずです。

高瀬　吉田は戦後、軽武装、経済重視路線を作っていくわけです。その点は湛山も同じだった。そして、大蔵大臣になる。ただ、現実重視の吉田はアメリカの占領政策に沿いつつも、面従腹背で基本的にはアメリカを利用しながら改革を進めようとした。これは、他力本願的政治運営といいますが、これが湛山は気に食わず、自力更生路線を取ろうとした。ここでも、そりが合わないところがある。

そして今度は吉田との間に軋轢が生じてきて、湛山がＧＨＱの乱脈ぶりを追及、公職追放になるという流れです。結局、１９５１年まで4年間、蟄居生活をさせられる。50年に朝鮮戦争が始まって、これでまた戻され、湛山を生き返らせることになる。その後、反対米依存路線の鳩山一郎と歩調を合わせて、反吉田陣営に入る。本来湛山は、鳩山の強権的路線、憲法改正、防衛力増強という路線ではないのですが、反吉田ということで鳩山に付く。鳩山とともに岸信介とも協力しあう。このあたりが面白いところですね。

白井　対米従属なのか自立なのかが、キーポイントとして現れていた。吉田の評価はいろいろありますが、吉田が首相を務めていた時期は、それこそ「中間管理職の悲哀」のような状態に置かれていた。要するに、アメリカからは「ああしろ、こうしろ」と言われる。それを吉田一流の腹芸によって実現したものもあれば、そうでないものもあった。指令をうまく取捨選択して、軽武装、経済重視路線を確立したといわれます。

しかし、他方で当時、吉田がどう言われていたかというと、「アメリカの言いなりの犬野郎」と激しく批判されていた。つまり、上からは「もっときちんと言うことを聞け」と言われ、下からは「あいつはアメリカの言うことを聞くばかりだ」と、上からも下からも攻められる状態にあったわけです。「吉田はアメリカの言いなりでどうしようもない」と一番強く批判していたのは鳩山であり、そして鳩山もそもそもは吉田に対する個人的な恨みが相当あるわけです。戦後最初の選挙で自由党が勝って、自由党総裁であった鳩山が首相になるはずが、公職追放を食らい「ピンチヒッターで吉田君やってくれ」と託した。吉田は「追放解除されたときにはお譲りいたします」と約束をした。しかし、非常にありがちなことですが、こういう約束は守られない。鳩山は当然、吉田に対して恨み骨髄になるわけです。ですから、鳩山・湛山ラインというのは吉田に対する恨み骨髄ラインということなんです。

高瀬　なるほど。湛山は、対米関係のあり方が気に食わないので、こちら側と一緒になる。

白井　鳩山一郎は、日ソ国交正常化に見られるように、アメリカ一辺倒ではダメだという考え方は持っていたわけです。それは、孫の由紀夫元首相まで引き継がれています。

保守合同前後の湛山の身の振り方

高瀬　そういう中で、自由党から鳩山、岸が脱党して日本民主党を結党し、湛山もそこに参加したことで吉田と袂を分かったということです。

54年、吉田が不人気のため政権から下りて、鳩山一郎内閣が発足します。そこで湛山は通産大臣になる。その後、自由党と日本民主党が保守合同して自由民主党が作られ、いわゆる「55年体制」がスタートします。第二次鳩山内閣でも、湛山は通産相で、ここで中ソとの関係改善が基本方針となりました。

この頃に国内の貿易業者は「中共行きのバスに乗り遅れるな」と、中国ブームに沸きます。そして、中国との政府間協定を望んだのですが、アメリカが猛反対をしたことで鳩山が揺れ動く。このときに湛山が何と言ったか。

「アメリカ政府の意向は無視せよ」と、ダイレクトに言ったんです。中国は原材料の供給源で、古くから大切な関係があり、緊密化は避けられない。冷戦で日中関係が妨げられているのは遺憾である。経済文化交流の回復に努力をしたほうがいいということで、湛山は中国との関係を深く考えていました。

早稲田大学でのシンポジウムでも、「これから中国をどう考えるか。湛山が生きていたら何と言うか」という話が出ました。湛山に対する研究が盛り上がっていると感じます。

白井　保守合同前後の湛山の身の振り方は、タイトロープを渡るような感じがあります。というのは、自由党から反吉田派が抜けますが、その中心人物は鳩山であり、岸だった。このグループは対米自立の志向を有しています。しかし、中には戦前の国家主義的なものや極右的なもの、こうした信条に動機づけられてアメリカのくびきから逃れるべきだと主張する勢力も混ざっていました。思想、信条の観点から言えば、湛山とは相容れないものだった。しかし、「ここは本当に腹をくくって」ということだったのだと思います。

「岸信介とは何者だったのか」ということを考える際にも、このあたりの経緯は非常に重要な問題です。この身の振り方からもわかるように、岸の考えは吉田とは相入れなかった。つまり、吉田の路線である対米従属はダメだと考えていた。だからこそ鳩山と組んだ。さらに言えば、このときの鳩山の資金源は児玉誉士夫ですから、まさに極右国家主義勢力が密かに復活した。

そして、自由民主党ができる。鳩山勇退の後、自民党総裁選で岸と湛山の対決になって、薄氷を踏む勝利で湛山が自民党総裁、そして総理になる。しかし、病気ですぐに辞めてしまい、副総理だった岸がスライドで首相になった。

岸政権のもと60年の安保改定で、戦後日本の国の形が確定していく。では、いったい岸は何者だったのか。本来は対米自立の信条がどこかにあったはずですが、それがねじれた形で対米従属を固定化する張本人になってしまう。その後の系譜をたどっていくと、安倍晋三につながるわけです。歴史修正主義というスタンスは、ある種の反米主義でもあり、イデオロギー的にはアメリカ離れしたいという思想が見え隠れする。あるいは戦後レジームからの脱却などと口走ったりして、「アメリカは嫌いですか？」と聞きたくなる。他方で現在の防衛費拡大の種を撒いたのは安倍です。トランプのご機嫌を取るために爆買いしたのではないか。

高瀬　国民はそのツケを払っている。

白井　アメリカに貢ぎまくりの張本人です。つまり岸、安倍は「見かけ倒し対米自立路線」でしかなくなった。ただし、最右派が本来有していたはずの対米自立志向がどのようにして消えていったのかを考えることは、大変に重要だと思います。

石橋内閣が続いていれば、国民に大きな教訓を与えていたはず

高瀬　話を戻して、湛山は自民党総裁選で岸と争い、決選投票で7票差で勝利します。56年12月に第55代内閣総理大臣に就任、アメリカは米国人にとって有利ではないと警戒したそうです。湛山は容易ならざる相手だということを見抜いていたようです。

白井　ＣＩＡの秘密文書が公開されていますが、これを見ると当時の岸はＣＩＡと濃密な関係を持っていたと推測されます。当然、アメリカとしては総裁選でぜひとも岸に勝ってほしいと思っていた。湛山が勝ったのは、アメリカにとっては悪夢のようなものです。

高瀬　ただ、このとき国民の期待は非常に大きくて、はつらつたる野人首相を歓迎した。作家の半藤一利さんが『戦う石橋湛山』(中央公論新社)という本を出されている。あのとき湛山を迎える国民の気持ちは高ぶっていたと、半藤さんに直接聞いたことがあります。

ＮＨＫは月に1回「湛山炉辺談話」を放送し、民放も「石橋アワー」を企画したということ

で、湛山ブームが起きました。湛山は国民の期待に応えるために全国を飛び回って、残念ながら過労で脳血栓を引き起こして倒れたと、立正大学名誉教授・増田弘さんの『石橋湛山』（中央公論新社）に書かれていました。２カ月の休養が必要と診断されました。２カ月くらい休んで、復活してほしかったと思いますが、そうはならなかった。増田さんは同書の中で、

「石橋内閣が二年存続できたならば、（中略）その後の岸内閣時代に直面した日中関係の断絶といった最悪の事態も回避されたであろうし、あるいは安保騒動も別の形態を取ったであろうし、現実とは大きく異なった戦後が形成されたであろう。石橋内閣の短命化が戦後史の重要な屈折点と言われる所以である」

と書いています。分水嶺ではなくて屈折点です。

白井　病気になった理由については諸説ありますが、早稲田卒業者初の首相で、私学全体から見ても初めて総理大臣が出たということで、我が母校は大騒ぎになるわけです。それで、大隈講堂で講演をやって、さらに盛り上がって大隈庭園で祝賀会をやった。その日はかなり寒い日で、それが体調を崩す原因になったのではないかという説があります。だとすると、早稲田が悪かったという話になりますが、石橋内閣が続いていたらどうなっただろうと思わされます。

ある出版社のベテラン編集者と話していたときに、その人は大変学識の高い方ですが、「湛山が続けていたらどうなったでしょう。違う日本があったのではないでしょうか」と私が言ったところ、その方は「そうかもしれないが、石橋湛山が自己の信念に従った政策を首相として

やり続けたら、アメリカに殺されただろう。その意味で、あまり変わらなかったのではないか」とおっしゃいました。殺された、というのは十分あり得る話だと思います。ですが、どうせ殺されるから変わらなかったという結論は、私は違うと思うのです。

なぜかというと、殺されることによって、日本の最高権力者がアメリカに対してはっきりと自国の立場を主張して筋を通し、戦えば何が起きるのかを国民が広く認知することになったはずです。保守の連中は愛国者だと名乗るわけですが、アメリカに盾ついて殺された人はいません。

高瀬　いないですね。政権が短命に終わった人は何人かいますが。

白井　その程度であり、殺された人はいない。ですから、病気での退陣は本当に惜しいです。湛山の戦いがどういう形を取ったか。戦いきれなかったかもしれませんが、間違いなく何らかの形で、戦後の日本国民に大きな教訓を与えることになったはずです。

高瀬　歴史に刻まれますね。私も、「2年やっていたならば、存続できたならば」というのは、そう簡単な話ではないと思います。こういう泥沼、湿地帯のような風土の中で、そう易々と湛山が政権運営を楽にやれたとは思えません。下手すると本当に殺されたかもしれない。

白井　アメリカはいろいろな国でそういうことやってきましたから、これはまったくの空想話ではないわけです。

岸の代で60年安保になるわけですが、そのときも湛山は「何も今、このようなことをする必要はない」と批判するんです。これはどういう意味だったのでしょうか。60年安保にはいろいろな評価がありますが、岸に言わせれば、51年の旧安保条約は事実上の占領継続であり、そんなひどい条約は改善しなければいけないと条約改訂したのに、こんなに反対されるのはおかしいと嘆いたわけです。

では湛山のクリティカルポイントはどこにあったかというと、確かに旧安保は占領継続のような条約で、いずれこんなものは全部いらないという話になる。だから占領継続条約をわざわざ水で薄める必要はないという考えでした。結局、岸が水で薄めることに成功したから、今日まで続いてしまったわけです。

高瀬　湛山が政権を維持していたら、こんな条約を結ばなかった可能性がある。

白井　湛山は、占領継続する必然性はない、そんなくびきは外すべきだと考えていたので、水で薄めて続ける考えはさらさらなかった。では、どんなビジョンを持っていたのかというと、いわゆる東西対立全体を日本が主体的に解いていこうという非常に大きなビジョンを持っていたんです。東西対立そのものが消えてしまえば、日米安保条約も必要なくなる、というわけです。

田中角栄は湛山の思想と実践の一番の継承者

白井　湛山は結局、政権を降りるわけですが、療養して健康を回復します。そこから精力的に動き、日中関係の断絶を憂慮して岸内閣の反共姿勢を批判しました。58年には中国を訪問しています。このとき、エコノミストや記者ら12人を帯同し、周恩来首相から来訪歓迎の意を受けています。周恩来とは二回会談をしたそうです。そこで、日中米ソ平和同盟の構想を提示したといわれています。

世界の情勢を主体的かつスケールも大きく展望し、日本に何ができるかを考えていたことがよくわかります。これがその後の日中国交正常化の下地作りになり、72年になって田中角栄が日中国交正常化を実現します。出発前、田中は病床にあった湛山を私邸に訪ねて見舞っています。湛山の手を握って、「石橋先生、中国に行ってきます」と言ったと伝えられています。湛山がずっとこの問題に取り組み、中国の要人とも会った。このことが、日中国交正常化に確実に結びついたということです。

そしてもう一つ言えることとは、湛山のビジョンと実践を一番近い形で継承したのは田中だったということです。春名幹男先生がほとんど決定版と言えるようなロッキード事件の研究書を出版されました（『ロッキード疑獄―角栄ヲ葬リ巨悪ヲ逃ス』ＫＡＤＯＫＡＷＡ、２０２０年）。結局、ロッキード事件とは何だったかというと、石油の問題などではなく、どうやら日中国交正常化こそが最大の理由だったと推論されています。ニクソンショックで米中が直接交渉を始めた。ところが、その時点ではアメリカは国交正常化についてまだ様子見状態だった。

ところが、日本は鋭い反応を示して、あっという間に田中が日中国交正常化をやってしまった。当時の米国務長官キッシンジャーは、その前から田中についてあまりいい感情を持っていなかったが、これで完全に逆鱗に触れることになった。そのころ田中は「日中はやった。次はソ連だ」と周囲に漏らしていた。つまり、田中のビジョンは相当大きかったと言うべきで、日中関係そして日ソ関係を自主外交で多元的に展開していき、単なるアメリカの属国というポジションから脱しようとしていた。これは、明らかに湛山がやろうとしていたことを引き継いでいる面があります。

高瀬　湛山のころから人間関係がずっとつながっていて、それを仕上げていったのが田中だと言えるでしょう。

白井　当時の冷戦構造、東西対立の構造に日本が主体になって風穴を開けて壊していくというビジョンですが、このビジョンを実行しようとしたら罠にかけられてやられたというのがロッキード事件の構図の本質だった。全日空のトライスターをめぐる汚職事件は小さな話であって、本当はロッキード社製の哨戒機Ｐ３Ｃの自衛隊への納入問題がはるかに大きかったが、闇に葬られた。自衛隊ルートの政界での中心人物が中曽根康弘です。中曽根はこのことでアメリカに対して大きな借りを作りました。

さらに言えば、当時のジャーナリズム、何といっても田中角栄失脚のきっかけを作ったのは立花隆さんだった。金権政治などいろいろと問題はあったでしょうが、大局的な構図から見れば、立花隆さんの『田中角栄研究』を批判的に振り返る必要があります。当時すでに、小室直樹氏は「そんなつまらないことで叩くな。次元が違うんだ」と批判をしていました。

高瀬　金銭問題の背景には福田赳夫と田中が首相の座を争う権力闘争の問題もあって、米国の介入を示す証拠はないものの、日本の政権交代に何らかの影響を与えた気はします。立花さんも一つの役割を背負ってしまった感があります。

「独立国としてどう立っていくのか」という胆力が試されている

高瀬　明治45年に湛山が日本人について痛烈に批判している文章があります。これを紹介しておきたいと思います。

「実に我が国今日の人心に深く食い入っておる病弊は（中略）利己に付けても利他につけてもその他何事に付けても、『浅薄弱小』ということである。換言すれば、『我』というものを忘れて居ることである。確信のないことである。膊力《はくりょく》の足りないことである。右顧左眄《うこさべん》することである」（『石橋湛山評論集』岩波書店）

　この文章を見つけたとき、現在のことにも通じると驚きました。これが書かれたのは明治45年、100年以上前です。とするとこれは、日本人の特徴と言っていいのか。ただし、湛山のような人もいるわけです。

白井　逆に言えば、湛山がなぜそのような強固な「我」あるいは「個」を持ち得たのだろうか。おそらく、根底的には湛山の信仰に行き着くのだろうと思います。もともと日蓮宗のお寺さんの家に生まれて、その信仰を持っていた。それによって強い「個」が形成されたという面はあると思います。

高瀬　それは大きいかもしれません。日蓮宗は非常に行動的です。満州事変を起こした石原莞爾も日蓮宗に大きな影響を受けました。それはともかくとして、思想形成に仏教の影響もあり、いろいろなものが集まって湛山の人格を作ったのでしょう。

白井　湛山といえば、政界時代の側近中の側近として石田博英が挙げられます。この人は湛山のことを「和尚さん、和尚さん」と呼んでいます。和尚さんは世俗的なことはよくわからないから、ややこしいことは全部自分がやるんだと言う。当然、政界はきれいごとだけではありません。生臭い部分は石田が担っていた。

　石田は、心の底から湛山を尊敬していたからこそ、側近としてアシストし続けたわけですが、現代の政界にもそういう豊かな人間関係があるのか。「思想、見識すべてにおいて抜きん出ている。こういう人こそ、リーダーにならなければいけない」と周囲が私心を捨てて盛り立てていくような人はいるのだろうか。

高瀬　アメリカにどうしても追従しなければいけないことがあるにせよ、世界の混沌とした情勢で、どうやって日本の平和国家としての力を出していくか、存在を示すか。「日本はこうでなければいけない」という構想が政界からまったく出てこないのが腹立たしい。

白井　そういう構想が出てこないのは、自立した存在でありたいという欲望がないからです。それこそ「我」というものを忘れているからです。

高瀬　湛山は明治の時代の人間を「浅薄弱小」と書いています。今の岸田総理は、同じ早稲田出身ですが、ずいぶんと湛山から遠ざかったのではないか。

白井　最近国会では、「石橋湛山思想研究議員連盟」ができて、自民党の人も野党の人も無所属の人も参加していると聞いていますが、いったい何を目指すのか問いかけたいところです。

今の中央政界の課題も、詰まるところ、日本が独立国としてどうやって立っていくのか、いけるのか。何党だろうが関係なく、覚悟と信念を持った政治勢力を政界再編して作れという話です。この議連がそれを視野に入れているのかいないのか知りませんが、勉強会だけをやっているのだったら「書生の遊びをやっている場合ではないぞ」という話になります。

高瀬　現実世界を動かしてこその政治家ですよね。ですから、その胆力が試されているように思います。今回は没後50年となる石橋湛山について考えました。日本のこれからを考えるとき、湛山から学べることはまだたくさんあるように思います。

あとがき

本書は、2023年に出版した『ニッポンの正体』第二弾である。書籍化のもとになった番組は、YouTubeのニュース解説チャンネル「デモクラシータイムス」で、22年からほぼ毎月一回のペースで制作・配信してきた。番組を企画したときの狙いは、日々のニュースの論評に止まらず、その本質や背景を理解する一助となるものにしたいということだった。それからわずか2年。この国は劣化に次ぐ劣化の一途だ。特に政治は目もあてられない。政治学者白井聡さん曰く、「もう小手先ではどうにもならない」。まったく同感としか言いようがない。根本から一度破壊しつくされるしかないくらいドン詰まっている。

2023年末に弾けた政治資金パーティーを利用した「裏金作り」は、この国で繰り返される「政治とカネ」を巡る問題の焼き直しだ。何十年経っても同じことを繰り返す。政治が取り組むべき課題は山積しているのに、その仕事を担うべき政治家の〝犯罪〟に時間と労力を取られる。東西冷戦構造が終焉して三十数年、何も変えることができず、変わっていく諸外国にあらゆる分野で水をあけられてしまった。

そんなこの国の地滑り的衰退は、国際比較の数値で次々と明らかになっている。GDP＝名目国内総生産の順位が、ドル換算で、日本より人口の少ないドイツに抜かれ、世界3位から4

位に転落する見通しだ。個人の豊かさを示す一人当たりＧＤＰは、遠くない将来、韓国や台湾に抜かれると予測されている。23年のジェンダーギャップ指数が世界１４６カ国中１２５位で過去最低。バブル経済が崩壊して三十数年にわたる低成長とデフレ、賃金は上がらず、産業分野も、自動車だけで辛うじて支える「自動車一本足打法」。その自動車すら、ＥＶ（電気自動車）化で後れをとった。いずれ、これも優劣がはっきりしてくるのだろう。いちいち挙げていけばキリがない。グローバルサウスの台頭など、かつて日本よりはるかに小さい経済力しかなかった国の元気さに反して、落日の感がしのびよる。

そんな中、世界では、まったく先の収束が見通せない「ロシア・ウクライナ戦争」に加えて、「イスラエル・パレスチナ紛争」が激化した。世界80億人の目がガザに注がれる中、〝白昼堂々〟市民を嬲り殺すイスラエルに、正義も人権も人道も通用しない。そうした一国の都合と独善的価値観に基づいた蛮行に、国連は、意思表示の場として機能しても、停戦など実際的な力を及ぼすことができない。

国際社会は、獰猛で計算高く、利己的な指導者たちで溢れていると言ってもいいかもしれない。残念ながら、それが21世紀も四半世紀になろうとしている現世人類の「現在地」である。翻って「おもてなし」を売りにするこの国は、はたしてこの先、まともに生き延びていけるのだろうか。

「治安が良く、きれいで物価も安い」。大挙して押し寄せる外国人観光客が、「ニッポン素晴らしい」と感嘆の声を上げる。それを誇らしげにテレビが報じる。それだけ見れば、「さすが日本」「この国はまだまだ大丈夫」と思う人も少なからずいるだろう。だが「ニッポンの正体」とは、そんなお気楽なものなわけがない。きわめて危ういと言うしかない。

地政学を持ち出して、対中国、対北朝鮮の脅威を強調するまでもなく、主権者意識の薄弱な有権者の多さと、非論理的で、歴史観、国家観、世界観の貧弱な政治家たちが最大の懸念材料なのだ。「小手先ではどうにもならない」というのは、山積する課題のことだけでない。現状や自らの足下すらまともに認知、認識できない当事者＝日本人の総体的劣化のことでもある。

今回の書籍化に当たって、二作目を出版してくれた河出書房新社に謝意を申し述べたい。また第一作同様、書籍化への橋渡しをしてくれたフリーの編集者、西垣成雄さんに今回も大変お世話になった。

これからも、白井さんとともに、この国の「正体」に、さまざまな視点、問題を通して迫りたいと考えている。そして活字化を通して、より思考を深める「よすが」にしてもらえればと願っている。この国で生きるしかない者として、この国を諦めるわけにはいかず、自分のためであると考えるからである。

高瀬毅

［著者略歴］

白井聡（しらい・さとし）

1977年東京都生まれ。政治学者。早稲田大学政治経済学部卒業、一橋大学大学院社会学研究科博士課程単位修得退学。博士（社会学）。専攻は政治学・社会思想。京都精華大学国際文化学部准教授。『永続敗戦論――戦後日本の核心』（太田出版）で、石橋湛山賞、角川財団学芸賞、いける本大賞を受賞。近刊に『今を生きる思想 マルクス――生を呑み込む資本主義』（講談社現代新書）がある。

高瀬毅（たかせ・つよし）

1955年長崎県生まれ。被爆二世。ジャーナリスト、ノンフィクション作家。現在、YouTube番組の「デモクラシータイムス」で司会、キャスターなどを務める。明治大学政治経済学部を卒業後、ニッポン放送に入社。情報センター出版局編集者を経てフリージャーナリストとなる。1982年、ラジオドキュメンタリー「通り魔の恐怖」で日本民間放送連盟賞最優秀賞、放送文化基金賞奨励賞を受賞。2009年『ナガサキ 消えたもう一つの「原爆ドーム」』（平凡社）で平和・協同ジャーナリスト基金賞奨励賞を受賞。日本文藝家協会会員。

［カバー写真］ 西野壮平

［装　丁］ 大倉真一郎

［組　版］ 若菜啓

［編集協力］ 青文舎（西垣成雄　宮崎守正）

田中智沙

齋藤伸成

ニッポンの正体 2024
新しい帝国戦争の時代

2024年２月18日初版印刷
2024年２月28日初版発行

［著　者］　白井聡　高瀬毅

［発行者］　小野寺優
［発行所］　株式会社河出書房新社
〒151-0051　東京都渋谷区千駄ヶ谷2-32-2
電話　03-3404-1201（営業）
03-3404-8611（編集）
https://www.kawade.co.jp/

［印刷・製本］　三松堂株式会社

Printed in Japan　ISBN978-4-309-23147-1